CW00405870

tredition®
www.tredition.de

Nachdem das Eis, in dem sie ihre Kindheit bewahrt hatte, geschmolzen war, begann sie sich zu fragen, was die Ursache für ihre Verwandlung gewesen sein könnte.

Was konnte sie aus dem Getuschel der Mädchen schließen, das durchblicken ließ, dass sie „schon wieder" die ganze Nacht auf dem Melkschemel verbracht hatte? Wie oft hatte es sich wiederholt, dass sie vom „Pott" nicht in den Schlafsaal zurückkehrte? Was passierte in den Nächten, an die sie keine Erinnerung mehr hatte? Schlief sie neben der Aufsicht auf dem Holzfußboden? Wenn nicht, wo schlief sie dann? Was hatte die Albträume ausgelöst, die sie über mehrere Jahrzehnte hinweg heimsuchten? Fragen, auf die es keine Antworten gab. Es machte keinen Sinn, sich in Vermutungen zu versteigen.

Fakt war, dass das, was mit ihr im Taunus passierte, nicht darauf zurückzuführen war, dass mit *ihr* etwas nicht stimmte. Dass zu einem Bedürfnis wurde, sich von einer Gesellschaft zu distanzieren, von der sie sich bedroht fühlte, war nichts als eine logische Konsequenz. Wie vertrauensvoll konnte man sich in einem System bewegen, in dem Fürsorge hieß, dass Ärzte Traumata verschrieben für deren Kosten Krankenkassen aufkamen.

Misstrauen hatte sie nicht ohne Grund. Sie hätte gerne darauf verzichtet.

Die Geschichte von Odette Verger ist nur eine von Millionen:

Verschickungsheime.de

Cristina Ahnert

Gesellschaftsfreie Zone

oder

Mit Laub und Seele

Roman

Verlag & Druck: tredition GmbH, Halenreie 40-44,
22359 Hamburg

ISBN
Paperback: 978-3-347-14482-8
Hardcover: 978-3-347-14483-5
e-Book: 978-3-347-14484-2

Die Personen und die Handlung des vorliegenden Werkes sowie die darin vorkommenden Namen und Dialoge sind sämtlich erfunden und Ausdruck der künstlerischen Freiheit der Autorin. Jede Ähnlichkeit mit realen Begebenheiten, Personen, Namen und Orten wäre rein zufällig und nicht beabsichtigt.

Prolog

Als ich sechs Jahre alt war, begann ich an meiner Fiktion eines glücklichen Lebens zu arbeiten. Mein fünftes Lebensjahr hatte damit geendet, dass das Personal in einem Verschickungsheim mein Vertrauen systematisch in Furcht verwandelte. Ich war damals noch zu klein, um zu verstehen warum.

Ohne Vertrauen ergab mein bisheriges Leben keinen Sinn. Wenn ich leben wollte, musste ich also Umdenken. Ich konstruierte einen siamesischen Zwilling, der die Public Relation übernahm. Er misstraute allen und ließ niemanden zu mir durch. Dann sorgte er für eine Verkleidung, die meine neugewonnene Verletzlichkeit herausfilterte und vor meinem Umfeld verbarg. Damit blieben nicht nur meine Angst, sondern auch alle anderen irreversiblen Erfahrungen, die ich in dem Landschulheim gemacht hatte, meine ganz persönlichen Geheimnisse, mit denen ich nicht gewillt war, hausieren zu gehen.

Auf Andere wirkte ich fortan nicht nur willensstark, sondern auch unnahbar und sogar arrogant.

Einem PC sehr ähnlich, hatte der Zwilling im Laufe der Zeit immer mehr Macht über mich. Das konnte ich gut zulassen, denn die Fiktion war ja das Einzige, was sich für mich gut anfühlte. Bereitwillig gab ich das Zepter aus der Hand und versteckte mich mit meinen Erfahrungen hinter einer Mauer. Dort ruhten wir in Frieden an einem schönen Ort des Vergessens.

Die Dinge veränderten sich, als auch die Fiktion begann, sich nicht mehr gut anzufühlen. Damit begann der Zwilling, seinen Zweck zu verfehlen und ich wollte hinaus. Gar nicht so einfach, wie sich herausstellte.

Um mir einen Weg nach draußen zu bahnen, musste ich ziemlich scharfe Geschütze auffahren.

Die Furcht, die mich bisher lediglich gelähmt hatte, wurde mir dabei zu einer großen Hilfe und wir entwickelten uns zu einem ziemlich guten Team. Derweil schlummerten die Erlebnisse aus dem Landschulheim noch immer zufrieden vor sich hin.

Ich machte einen Deal: Die Angst durfte mit `raus unter der Bedingung, dass wir die schlimmsten Erinnerungen zurücklassen würden. Die Rechnung ging für alle auf. So dachten wir und trennten uns einige Jahre später im Guten.

An dieser Stelle möchte ich Elena Ferrante zitieren:

Und sie glaubten, was früher geschehen sei, wäre vorbei, und um in Ruhe leben zu können, ließen sie Gras darüber wachsen, dabei steckten sie doch in diesen Dingen von früher und zogen auch uns mit hinein, und so setzten sie diese Dinge, ohne es zu wissen, fort.

Während ich diese Geschichte schrieb, wurde ich von einer Wut getrieben, die solange blieb, bis ich gewillt war zwischen den Zeilen zu lesen. Mich zu verstehen, war ein langer Prozess. Doch dann wurde mir endlich klar, was der Schmerz mit uns macht, wenn wir unsere emotionale Welt abkoppeln.

Als sich mir meine Wut erklärte, wurde sie zur Trauer.

Odette Verger

Dienstag, 06. November

Eigentlich hatte er die Post gar nicht mitnehmen wollen. Aber als er den dicken DIN-A4-Umschlag aus seinem Briefkasten herausragen sah, wurde er doch neugierig. Er zog das Kuvert aus dem geöffneten Maul des Briefkastens und nahm es mit in die Wohnung. Das Papier war an mehreren Stellen eingerissen und hatte ganz offensichtlich eine lange Reise hinter sich.

Der Absender war in kyrillischen Buchstaben verfasst. Die Stempel auf den Briefmarken kaum zu entziffern.

Auch wenn ihm nur wenig Zeit blieb, bis man ihn auf der Neueröffnung eines Szeneladens erwartete, riss er den Umschlag auf. In seinen Händen hielt er einen gelben Schnellhefter, in den ein Stapel Kopien abgelegt worden war.

Folgender Brief war beigefügt:

Norilsk, am 19.10.2018

Sehr geehrter Herr Carazzo,

durch einen Zufall ist mir Ihr Buch „Klang einer Jugend“ in die Hände geraten.

Sehr gelungen - mein Kompliment!

Zu meinem Erstaunen stolperte ich bei den äußerst amüsanten Schilderungen Ihrer Kindheits- und Jugenderlebnisse über einen Namen, der mir durchaus bekannt ist - Olga Varanski.

In Ihrer Geschichte erscheint sie sozusagen aus dem Nichts, und deshalb ist es mir eine Freude, Ihnen bei der Frage nach ihrer Herkunft ein wenig weiterhelfen zu können.

Ich lernte sie vor vielen Jahren in Russland kennen.

Unsere jeweiligen Lebensumstände hatten uns von der Taiga in die nördlichsten Regionen Sibiriens verschlagen. Es war sehr kalt und es gab kaum einen Tag, an dem nicht jeder einzelne Atemzug deutlich sichtbar war. Der Atem legte sich wie eine kleine Wolke vor jedes Gesicht, so dass es schien, als würden die Gesichtszüge eines Jeden verschwimmen und mit seiner Umgebung zu einer Illusion verschmelzen.

Wie Sie treffend beschrieben haben, handelte es sich bei Frau Varanski um eine hübsche Erscheinung. Auch ich hielt mich gerne in ihrer Nähe auf, ohne jedoch die Hoffnung zu hegen, sie würde mich auch nur eines Blickes würdigen.

Sie können sich meine Verwunderung vorstellen, als sie eines Tages an meine Tür klopfte und um Einlass bat.

Sie war in der letzten Zeit immer blasser geworden und als sie nun vor mir stand, war sie so durchsichtig, dass man sie für ein Gespenst hätte halten können.

Sie ergriff meine Hand, schaute mir ins Gesicht und bat mich, ihre Aufzeichnungen für sie in Verwahrung zu nehmen. Dorthin wo sie gehen würde, würden ihr diese keinen Nutzen bringen und da sie nicht wüsste, ob sie jemals wiederkäme, wollte sie ihre Notizen wohl aufgehoben wissen. Mit diesen Worten legte sie ein hellbraunes, in Leder gebundenes Buch auf den Tisch, lächelte mir zu und verschwand über die Schwelle, von der ich niemals geglaubt hätte, dass Olga Varanski auch nur einen Fuß darüber setzen würde.

Bis zum heutigen Tage ist sie nicht zurückgekehrt.

Um es kurz zu machen:

Beigefügt habe ich den Teil aus ihren Notizen, der über den Ort ihrer Herkunft Vermutungen zulässt.

Darüber hinaus schicke ich Auszüge, die die Zeit beschreiben, in der sie in der Nähe von Hennersbeck lebte. Sie decken sich also mehr oder weniger mit dem Zeitfenster Ihres Buches.

Ich bin mir sicher, es wäre in Olga Varanskis Sinne, dass ich Ihnen die Textteile zukommen lasse, schließlich scheint sie Ihnen ja einmal viel bedeutet zu haben.

Da sie mich gebeten hat, ihre Notizen gut zu verwahren, möchte ich Sie bitten, diese vertraulich zu behandeln. Ich bin mir jedoch sicher, dass sie auch bei Ihnen in guten Händen sein werden.

Hochachtungsvoll

Theodor Torgonjowitsch

Er ließ das Papier sinken.

Es war ewig her, dass er die Kurzgeschichten über seine Jugend geschrieben hatte. Sie waren damals einmal im Monat unter der Rubrik „How to Dorf“ in einer Tageszeitung erschienen. Später hatte ein Studentenverlag die Kurzgeschichten unter dem Namen „Klang einer Jugend“ verlegt und in den Buchhandel gebracht. Das Büchlein wurde wider Erwarten zum Verkaufsschlager. Jung und Alt hatte sich angesichts der unterhaltsamen Erzählungen vor Lachen die Bäuche gehalten. Er war durch das Land gezogen, hatte Lesungen abgehalten und dazu beigetragen, dass sich seine Zuhörer im Anschluss daran, mit einem Lächeln auf ihrer Seele, auf den Heimweg machten. Er hatte die Zeit, in der er auf dem Land in der Nähe von Hennersbeck lebte, á la „Alfred, das Ekel“ in eine amüsante Familienparodie verpackt und ganz nebenbei seine Familiengeschichte verarbeitet.

Dann hatte er begonnen Kunst zu studieren. Ein Studium, das ihn in seinen Bann zog. Um sich von seiner Familie zu distanzieren, hatte er seinen Namen geändert. Die Lust am Schreiben verebbte.

Unter seinem neuen Namen war er mittlerweile als schillernde Gestalt überall in Hannover bekannt wie ein bunter Hund.

Er legte den Brief beiseite.

Olga Varanski hieß eigentlich Odette Verger.

Er war damals sehr verliebt in sie gewesen. Leider war ihre Beziehung nie über ein freundschaftliches Verhältnis hinausgegangen.

Dabei hatte er regelmäßig alles Erdenkliche dafür getan, romantisches Ambiente zu kreieren, das sie in seine Arme hätte treiben sollen.

Bei Kerzenlicht hatte er Odette seine „Augensammlung“ gezeigt. Dabei handelte es sich um große, weiße Murmeln, die er bemalte, so dass sie aussahen wie Glasaugen. Auf einem speziell gefertigten schmalen Regal über seinem Bett, schien seine Sammlung den ganzen Raum im Blick zu haben. Odette war zwar vor Ehrfurcht erstarrt, das hatte er genau gesehen, aber verzückt in seine Arme sank sie dennoch nicht. Nicht einmal dann, als sie sich ein „Auge“ aussuchen durfte.

Daraufhin hatte er seine Strategie geändert.

Ganz ohne Kerzenlicht erzählte er ihr, als er sie spät abends durch den dunklen Wald auf ihrem Heimweg begleitete, gruselige Hugo Hammer Geschichten, die er sich ausdachte, um sie dazu zu bringen, sich zu fürchten. Leider war auch dieser Schachzug nicht von Erfolg gekrönt. Statt sich vor Angst an ihn zu klammern und sich von ihm beschützen zu lassen, hatte sie überhaupt nicht mehr aufgehört zu lachen.

Doch was er auch tat, um eine knisternde Stimmung zu erzeugen, die ihm, dem Helden in der Finsternis, eine schmachtende Jungfrau bescherte, es ließ sie kalt. Bevor er kapitulierte, zauberte er sein letztes Ass aus dem Ärmel und schenkte ihr einen Straßenbegrenzungspfahl. Das zwei Meter lange und mindestens 20 kg schwere Kantholz, auf dem er befestigt war, inklusive.

Keine Chance! Egal, welches Register er zog, der gewünschte Effekt blieb aus.

Sie hatte ihn lediglich belustigt bei seinen Anstrengungen beobachtet und ihn, nachdem er kurz davor war unter der Last seines Geschenkes zusammen zu brechen, darüber aufgeklärt, dass es ein leichtes sei, das Plastikteil mit den Reflektoren von dem Kantholz abzuziehen.

Ohne Holz wog sein Geschenk nur noch wenige Gramm.

Bis zum heutigen Tage wurde er das Gefühl nicht los, dass sie Spaß daran gehabt hatte, ihn unter seiner Last zusammen brechen zu sehen.

Es klingelte an der Tür. Er wurde abgeholt. Keine Zeit mehr, sich noch länger mit Olga Varanskis Leben zu beschäftigen.

Eilig stopfte er den Schnellhefter zurück in den Umschlag und warf ihn auf die Kommode im Flur. Er schaute noch einmal in den Spiegel, um zu überprüfen, ob es sein Lächeln noch immer mit der 60 Watt Birne des Deckenstrahlers aufnehmen konnte.

Er nickte zufrieden und verschwand durch die Haustür, um sich vom Hannoveraner Nachtleben aufsaugen zu lassen.

Durch die Wucht, mit der er die Tür zuschlug, kam der Hefter ins Gleiten.

Auch wenn es sich um einen Schnellhefter handelte, bewegte sich dieser im Zeitlupentempo seitlich zwischen dem Möbel und dem langen Mantel herab, der an der Garderobe hing. Mit einer leichten Drehung orientierte er sich an einer wolligen Falte und kam hinter Carlos hellgrünen Gummistiefeln zu liegen, wo er sich gemütlich anlehnte.

Als Carlo einige Tage später nach Hause zurückkehrte, war die gut versteckte Post aus Russland vorerst in Vergessenheit geraten.

Sonntag, 21.April

Am Morgen erwachte Carlo mit einem trockenen Gegenstand im Mund, der ständig an seinem Gaumen klebte. Im Halbschlaf versuchte er, den vermeintlichen Fremdkörper loszuwerden, der ihn am Atmen hinderte. Er nahm seine Hand zur Hilfe, um das elende Teil aus seinem Mund zu entfernen und stellte fest, dass es sich bei dem, was sich so merkwürdig anfühlte, um seine eigene Zunge handelte, die verzweifelt überall in seiner Mundhöhle nach Feuchtigkeit suchte. Carlo drehte sich auf die Seite und stöhnte auf. Sein Kopf parierte auch die kleinste seiner Bewegungen mit einem bohrenden Kopfschmerz, der sein allmählich erwachendes Bewusstsein mit Wellen von Übelkeit überspülte.

Im Liegen und versuchte er mit der Hand, die Wasserflasche zu ertasten, die neben seinem Bett zu stehen pflegte.

Erleichtert spürte er den Verschluss der Glasflasche, fuhr mit der Hand am Flaschenhals herab und umschloss mit seinen Fingern den gläsernen Korpus. Als er die Flasche anhob, strengte es ihn so sehr an, dass sein Kopf zu bersten schien. Er legte die Wasserflasche neben seinem Gesicht auf die Matratze und öffnete vorsichtig die Augen. Leer! Mist!

Als er schon dachte, dass es um ihn nicht schlechter stehen konnte, veranlasste ein Stöhnen am anderen Ende des Bettes seinen Kopf, sich vorsichtig auf die andere Seite zu drehen.

Bitte nicht, dachte er als er Henriette erkannte. Zu seinem Kater gesellte sich die Scham.

Er versuchte, so viel Kontakt zu seinem Bewusstsein aufzunehmen, dass sich feststellen ließ, in welchen Bekleidungszustand er neben ihr unter der Bettdecke lag. Erleichtert erspürte er seine Hose, seine Strickjacke, Socken. Immerhin. Lediglich die Schuhe fehlten.

Dass er sich nicht um eine ungewollte Schwangerschaft einer schön getrunkenen Bettgenossin Gedanken würde machen müssen, stimmte ihn froh.

„Der Tag fängt besser an, als es im ersten Augenblick den Anschein hatte", ging es ihm durch den Kopf, während er sich auf die Bettkante rollte.

Er blieb noch einen Moment am Rand sitzen, schloss die Augen und versuchte die latente Übelkeit zu ignorieren, die sich seiner bemächtigte.

So vorsichtig wie möglich, versuchte er sich zu erheben, damit sich die Anstrengung so wenig wie möglich auf seinen pochenden Schädel auswirkte. Doch mit jeder Sekunde, die er dort auf der Bettkante verbrachte, wurde ihm klarer, dass er nicht darum herumkommen würde, sich zu übergeben. Er erhob sich so schnell, wie es ihm möglich war, und eilte ins

Badezimmer. Bis zum Klo schaffte er es nicht mehr und kotzte in das Waschbecken.

„Puh, das war knapp“, dachte er, kniete sich vor die Kloschüssel und steckte sich noch einmal den Finger tief in den Hals. Als er nichts mehr erbrechen konnte als Magensäure und gelbe Galle, erhob er sich und wusch sein Gesicht mit kaltem Wasser. Während er sich abtrocknete und dabei in den Spiegel blickte, versuchte er ein Lächeln, das jedoch bei weitem die 60 Watt Marke verfehlte und an der 25 Watt Hürde der Badezimmerlampe scheiterte.

Auf dem Weg in die Küche stütze er sich an der Garderobe ab und stolperte dabei über seine Gummistiefel, die in Begleitung eines braunen, zerknitterten Umschlages quer durch den Raum flogen. Die Gummistiefel ließ er einfach liegen, wo sie waren, den Umschlag nahm er fast unbewusst in die Hand und legte ihn auf den Küchentisch. Dann setzte er Kaffee auf.

Olga Varanski, ach ja. Die hatte er total vergessen. Das musste an der Nacht mit der Pudelmütze gelegen haben.

Er nahm einen tiefen Schluck aus der Wasserflasche, die er aus der Speisekammer genommen hatte und setzte sich an den Küchentisch. Vielleicht gelang es ihm mit ihrer Hilfe, seinen beklagenswerten Zustand zu verdrängen und auf andere Gedanken zu kommen. Auch wenn er noch weit davon entfernt

war, nüchtern zu sein, versuchte er, sich zu konzentrieren und begann zu lesen.

Am Anfang war das Laub

Die Erinnerungen an mein Leben beginnen in einem Berg von Laub. Trockenes, von der Sonne aufgewärmtes Laub, das unter mir nachgab, mich trug und warm bettete. Wenn es nach mir gegangen wäre, hätte es seinen Platz auf der Terrasse für immer behalten können. Für einige Stunden gehörte er mir. Genau bis zu dem Zeitpunkt, als seine Geborgenheit, Schubkarre um Schubkarre, einem gesellschaftlichen Ordnungswahn zum Opfer fiel. Aber lange genug, um diesen tiefen Eindruck in mir zu hinterlassen und zu spüren, dass es auf diesem Planeten bedingungslose Nestwärme gab. Man durfte sich fallenlassen und wurde weich gebettet.

Meine Eltern leiteten mich, ließen mich los, damit ich eigene Schritte gehen lernte und freuten sich an der Begeisterung, mit der ich mein Leben begann. Ich sprudelte über vor Glück, zappelte vor Ungeduld, wusste sehr genau, was ich wollte und wenn ich neue Eindrücke aufsog, konnte ich sehr konzentriert und sehr still sein. Bäume waren mein Dach im Regen, Tiere fanden ihren Weg direkt in mein Herz. Ich wuchs und fühlte mich allem gewachsen.

Im Laufe der Zeit gab es einige Orte, die mein damaliges Gefühl wieder wach riefen: Die ausgewaschenen Wurzeln der glänzenden, grauen Buchen, die mich in ihre starken, fast silbernen Arme nahmen und mir von ihrem Standort aus einen herrlichen

Blick über die Felder gewährten. Das hohe gelbe Gras, in dem ich verschwand, um Bucheckern zu essen; die starken, knorrigen Äste der Eichen und natürlich der warme Bauch unseres Schäferhundes, der die gleiche Farbe hatte wie das Gras, in dem ich meine Bucheckern aß.

Schon als ich anderthalb Jahre alt war, schrieb meine Mutter in mein Kinderbuch, dass ich mich zu einer selbstbewussten Dame mit einem starken Willen entwickelt hätte, die gerne, allein auf dem Sofa sitzend, in ihren Illustrierten blättern würde. Es bereitete mir keine Mühe, mich selbst oder auch andere zu unterhalten.

Ich hatte in dem Alter bereits viel Zeit allein bei meinen Großeltern in Dänemark verbracht. Aufenthalte, die ich völlig ohne Heimweh und mit viel Vertrauen in mein Umfeld genoss. Wir verbrachten gern Zeit im Garten und am Strand. Ich vermute, dass meine Liebe zum Meer aus dieser Zeit herrührte, denn am Ende meiner Sommerferien musste meine Großmutter darauf achten, dass ich nicht vollbekleidet ins Wasser lief, weil mich das Meer, sobald ich es erblickte, magisch anzog. Meine Mutter schilderte wie ich mit meinem kleinen, roten Spielzeugtelefon lange Gespräche nach Kopenhagen führte, sobald ich wieder zu Hause war. Es war offensichtlich, dass ich meine Großeltern vermisste.

Einige Jahre später war ich so eigenständig, dass es fast unmöglich wurde, mich von etwas abzubringen, das ich mir vorgenommen hatte. Vielleicht weil sich kaum ein Kind dazu bereit erklärte, meine Phantasien mit mir in die Tat umzusetzen, heckte ich meist allein meine Pläne aus. Meine Eltern erfuhren erst von meinen Abenteuern, wenn ich sie bereits erlebt hatte.

So hatte ich, als ich vier Jahre alt war, mit Sachsband ein Halfter gebunden, war auf die Wiese gegangen und hatte mit der größten Selbstverständlichkeit den Shetland Ponyhengst vom Nachbarn gezäumt und auf den Feldweg geführt. Leider war ich noch so klein, dass ich am Aufsteigen scheiterte. Der Nachbar fing seinen Vierbeiner und mich auf der Straße ab, auf der wir beiden zügig in Richtung Stutenwiese trabten. Weder das Pony noch ich konnten nachvollziehen, warum diesem herrlichen Abenteuer so schnell ein Ende gemacht wurde.

Bauer Albers war sehr ungehalten. Im Gegensatz zu meinen Eltern blieb ich davon unberührt. Ich plante bereits meinen nächsten Coup und buddelte seine Schäferhündin aus ihrem Zwinger aus, auch wenn ich genau wusste, dass das streng verboten war. Man fand mich schlafend, mit dem Daumen im Mund und dem Kopf auf dem warmen Bauch des Hundes, der sich nicht von der Stelle gerührt hatte bis ich wach wurde. Bauer Albers bekam einen Tobsuchtsanfall, der allerdings nicht verhinderte, dass sein Hund zu uns umzog. Ich konnte nicht verstehen, warum man sich über etwas aufregen konnte, dass sich so gut und so richtig anfühlte.

Es kam jedoch der Tag, an dem er mich endlich am Schlafittchen packen konnte. Ich hatte mein Bötchen auf dem Gülleteich schwimmen lassen. Der Wind hatte es weit hinausgetragen und als ich versuchte, es zu greifen und wieder ans Ufer zu ziehen, fiel ich hinein. Bauer Albers nutzte die Gelegenheit, packte mich an meinem Anorak und rettete mir das Leben. Danach schlossen wir Frieden und ich durfte ihm beim Melken zusehen.

So laut ich sein konnte, wenn ich mich freute, oder wenn ich mit anderen Kindern spielte, so leise konnte ich sein, wenn ich mich zurückzog, um mich auf eines meiner „Projekte“ zu konzentrieren. Meine Streifzüge durch die Natur hatten zwei Gesichter.

Mit meiner Freundin Ilka saß ich stundenlang im Gebüsch und erzählte ihr Geschichten von feinen Damen, deren Bekanntschaft ich in den dänischen Illustrierten meiner Mutter machte. Ich teilte mit ihr die bunte Welt der Erwachsenen und dachte mir jede Menge Unsinn aus, von dem ich glaubte, dass es zum Großwerden dazugehörte. Wie beispielsweise Watte in den Ohren zu haben. Das hatte ich bei Tante Tilda gesehen, ohne zu wissen, dass das mit Ohrenschmerzen verbunden war. Das Mark aus einem Holunderast wurde mit ein wenig Phantasie zu Tante Tildas Ohrenwatte und landete zu Hauf in unseren Gehörgängen, wo es einige Tage später auf sehr schmerzhafte Art und Weise von einem Ohrenarzt wieder entfernt wurde. Die Vogelbeeren, die ich gegessen haben sollte, weil ich keine Kirschen fand, hätten ihren Weg nach draußen, durch einen widerlichen, orangefarbenen Gummischlauch gefunden, den man mich zu schlucken nötigte, damit ich mich nicht vergiftete. Wenn ich sie tatsächlich gegessen hätte. Die Welt der Erwachsenen begann ein Geschmäckle zu entwickeln.

Um in die Natur einzutauchen, blieb ich allein. Ohne Ilka oder andere Spielkameraden gelang es mir, so lange bewegungslos und leise zu sein, dass die Mäuse, die ich im Knick beobachtete, begannen zwischen meinen Schuhen fangen zu spielen. War ich in Begleitung, gelang das nie.

Wie mir meine Eltern erzählten, waren mir Ängste als Kleinkind völlig fremd. Im Alter von drei Jahren war ich im Stockfinsteren ganz allein den Feldweg heruntergegangen, um mein Dreirad zu holen, das ich am Wegesrand vergessen hatte. Als meine Mutter anbot, mich zu begleiten, weil ihr bei dem Gedanken, mich allein in die Nacht hinauszuschicken, mulmiger zumute gewesen war als mir, lehnte ich ab. NACHT war ganz offensichtlich nichts, wovor ich mich fürchtete. Ohne dass ich sie bemerkte, folgte sie mir in sicherem Abstand und beobachtete, wie meine kleine, dunkle Gestalt den hellen Sandweg herunterbummelte, das Dreirad bestieg und nach Hause fuhr.

Auch Gründe mich zu trösten, gab es kaum. Ich weinte im Grunde nur, wenn ich meinen eingeschlagenen Weg nicht zu Ende gehen durfte. Als ich mir im Alter von zwei Jahren das Knie aufschlug und das Blut an meinem Bein herablief, ging ich zu meiner Mutter und sagte: „Guck mal Mami, meine Saft läuft raus!“

Der Wille, mit dem ich anstrebte, etwas genauso zu tun, wie ich es mir vorstellte, war kaum zu brechen und da es damals keine Möglichkeiten gab, meinen Tatendrang und Wissensdurst mit Hilfe von Psychopharmaka in kontrollierte Bahnen zu lenken, war meine Mutter verständlicherweise besorgt. Dem Kinderarzt, der ihr empfahl, mich zu „verschicken“, damit sie zur Ruhe kam und ich ein paar Pfunde zulegte, war nicht klar, dass genau 1000 Gramm reichen würden, um mein Leben völlig aus dem Gleichgewicht zu bringen.

Ich wurde verpackt und in den Zug gesetzt. Eine nicht enden wollende Bahnfahrt, deren Endstation ich mit Neugierde erwartete. Von Kiel in den Taunus. Abgestempelt wurde ich dann dort.

Untergebracht waren wir in einem großen beigefarbenen Gebäude. Wir, das hieß etwa fünfzig Jungen und Mädchen im Alter von acht bis fünfzehn. Ich fiel mit meinen fünf Jahren ein wenig aus dem Rahmen. Einige Wochen später durfte ich allerdings im „Landschulheim“ meinen sechsten Geburtstag feiern.

Die Jungen wohnten auf der ersten Etage, die Mädchen in der zweiten. Zuerst teilte ich mir ein Zimmer mit fünfzehn anderen Mädchen, wurde aber im Laufe der kommenden sechs Wochen meines Aufenthaltes mehrfach umquartiert. Wenn neue Gruppen eintrafen und der Bettenplan geändert werden musste, damit befreundete Mädchen in einem Zimmer schlafen konnten, musste ich umziehen.

Der Tag war streng strukturiert: morgens gab es ein gemeinsames Frühstück, anschließend einen Spaziergang durch die angrenzenden Wälder. Diese Wanderungen waren die einzige Möglichkeit, mich von der Gruppe zu entfernen, und unter dem Vorwand Pilze zu suchen, allein durch das Unterholz zu pirschen.

Zu Pilzen habe ich auch heute noch ein ganz besonderes Verhältnis.

Zum Landschulheim zurückgekehrt, durften wir noch eine Weile auf einem eingezäunten Hofgelände spielen. Von dort rief man uns in den Speisesaal ab, wo wir gemeinsam zu Mittag aßen und es auch schon mal gemeinsam wieder ausspuckten. Nach dem Essen gab es unausweichlich eine Mittagsstunde, die wiederum im Speisesaal mit Tee oder Caro Kaffee beendet wurde. Im Anschluss an das Heißgetränk spazierten wir noch einmal in der Gruppe durch den Taunus und aßen dann gemeinsam zu Abend. Auf das Abendessen folgten eine kurze Freizeit und eine Zeckenkontrolle. Daraufhin schickte man uns ins Bett.

Von außen betrachtet, sah es ganz hübsch aus, wie sich eine geschundene Nachkriegsgeneration rührend um das Wohl von „unterernährten, vernachlässigten“ Kindern kümmerte. Auch jede Menge Photos verbergen, was sich ganz subtil unter der perfiden Oberfläche abspielte.

Daran gewöhnt, mich überall frei zu bewegen und mir aussuchen zu können, womit ich mich beschäftigen wollte, gestaltete es sich für mich schwierig, das Hofgelände nicht allein verlassen zu dürfen. Das erste Mal in meinem Leben fühlte ich mich eingesperrt. Ein Zustand, der mir bereits für den Zwingerhund von Bauer Albers so indiskutabel erschien, dass ich einen Weg fand, den Zustand zu beenden.

Doch im Taunus gab es niemanden, der mir half. Im Gegenteil. Man bereitete mir des Teufels Küche und bot allen, die an meinem Willen scheiterten, die Möglichkeit, sich ungestraft an mir zu rächen. In meinem zarten Alter von fünf Jahren hatte ich zwar eine klare Vorstellung von dem, was sich gut und was sich ungut anfühlte, war aber jedem, der mir seinen Willen aufzwängen wollte, kräftemäßig deutlich unterlegen. Hier wuchs der Nährboden für das Trauma, das mein Unterbewusstsein in einen Schläfer verwandelte. Der Aufenthalt entwickelte sich zu einer Keimzelle des Bösen, die mich in Zukunft träumen ließ, was ich unter allen Umständen vergessen wollte.

Das Mittagessen sorgte für unzählige Gründe, mich zu maßregeln. Ich lernte, was es hieß, nicht geborgen zu sein. Noch verstand ich nicht, was es bedeutete, wenn man mir mit Blicken drohte. Das sollte sich rasch ändern. Horizonterweiterung!

Im Gegensatz zu den übrigen „Gästen", die abgeliefert worden waren, um den Eltern einen entspannten Urlaub zu gewähren, war ich dort, um an Gewicht zu zunehmen.

Der Erfolgsdruck des Aufsichtspersonals, das sich anscheinend für jedes Gramm auf meiner Waage einen Sonderbonus ausrechnete, war hoch. Der Versuch, mich zu erpressen, scheiterte. „Wenn Du nicht aufisst, gibt es keinen Nachtisch", ein gern verwendetes Druckmittel. Später fiel auch der Satz, mit dem man mir auch die letzte Empathie verscherzte: „Die Mittagstunde für alle anderen beginnt erst, wenn DU aufgegessen hast." Trotz Androhung von Stubenarrest scheiterte ihr System an meinem Willen. Ich hatte an dem raunenden Mob, der mich umgab, sowieso kein Interesse. Sollten sie doch sitzenbleiben bis sie schwarz wurden. Solange ich ein Gericht, das mich zum Würgen brachte, nicht essen musste, war mir das nur recht. Ich hatte einfach keinen Appetit. Erst recht nicht auf Kartoffelbrei!

Damals wusste ich noch nicht, wozu Gesellschaft fähig sein kann, wenn man sich ihr nicht beugt.

Als auch der Versuch der Zwangsernährung scheiterte, gaben sie auf. Schließlich ging ihr Einsatz auch auf Kosten ihrer eigenen Mittagspause. Ohne Aussicht auf mehr Gehalt, war gottlob dieses Opfer auch für den ehrgeizigsten Mitarbeiter zu groß. Zu ihrem großen Bedauern war das Legen von Magensonden in Landschulheimen nicht zulässig.

Eine normale Kommunikation zwischen der fünfjährigen Eigenbrötlerin und den Kindern, die von Leben bereits eine völlig andere Vorstellung hatten, war aussichtslos. Ich erinnere mich genau an das Getuschel morgens im Treppenhaus: „Sie hat schon wieder die ganze Nacht auf dem Pott gesessen:“ Der Hof, auf dem wir uns begegnet sein müssen, liegt bis heute im Dunkeln. Hell und klar sind die Wege aus dem, was sich heute wie ein Verschlag anfühlt. Sie führen an den Hinterausgang der Küche, wo mich eine junge Frau, die als Aushilfe arbeitete, hin und wieder in die Arme nahm. Irgendwann verschwand sie, ohne sich von mir verabschiedet zu haben.

Endlich in der Mittagsstunde, lag ich wach und lernte, dass sich die Tränen der heimwehgeplagten, jungen Mädchen nicht auszahlten. Auch wenn ich deswegen nicht schlafen konnte, durfte ich das Bett nicht verlassen. Schlief ich gegen meine Gewohnheit ein, folgte meist eine Nacht, in der ich wach war, bis ich „umfiel“.

Abends sagte mir der Küchenplan zu. Vorweg gab es eine Suppe, anschließend durfte ich mir aussuchen, womit ich mir mein Brot belegte.

Der gesellige Teil des Abends bestand aus Brettspielen und Kniffeln. Wer wollte, schrieb Briefe. Weil ich noch nicht schreiben konnte, formulierte man mir gutgelaunte Postkarten: „Das Essen ist ausgezeichnet. Den zweiten Teller esse ich immer vorne am Pult, damit alle sehen, wie gut es mir schmeckt“.

Mir blieb nur, in Kinderschrift meinen Namen darunter zu setzen, bevor die nicht besonders angenehme Zeckenkontrolle und deren noch viel unangenehmere Entfernung folgte. Damit endete der Tag – wenn alles gut ging.

Nachts herrschte absolute Ruhe. Abhängig von der Aufsicht durfte man aufs Klo oder auch nicht. Wer dabei erwischt wurde, dass er unerlaubterweise auf die Toilette ging oder, was viel schlimmer war, nicht schlafen konnte, kam auf den „Pott“. Der Pott war ein dreibeiniger Melkschemel, auf dem man solange sitzen musste bis man vor Müdigkeit in die Finsternis kippte.

Was den Pott betraf, brachte ich es zu einer ziemlich traurigen Berühmtheit. Ich verbrachte so viele Nächte auf dem Melkschemel, dass mich der Ausdruck „zum Umfallen müde“ bis heute an den dunklen Ort am Treppengeländer erinnert, wo nicht nur mein Körper diesen Begriff prägte.

Mit anderen Worten: der Aufenthalt entwickelte sich nicht so, wie ich mir das vorgestellt hatte.

Die Entscheidung, meine Sachen zu packen und nach Hause zu fahren, fällte ich bereits nach wenigen Tagen.

Abends informierte ich die Aufsicht darüber, dass ich nicht gedachte länger zu bleiben. Diese war von der Idee, mich los zu sein, sehr angetan, drohte mir allerdings damit, dass es im Wald von bösen „Buscher Männern“ nur so wimmelte. Die machten mir zu dem Zeitpunkt noch keine Angst, ich wollte nach Hause. Nur war die Haustür verschlossen und niemand hatte den Anstand, mich hinauszulassen.

Und so blieb mir viel Zeit, mich gedanklich mit Buscher Männern und anderen schlimmen Dingen zu beschäftigen. Dieser Albtraum sollte noch fünf weitere Wochen dauern.

Telefongespräche meiner Eltern wurden, bis auf ein einziges, nicht durchgestellt. Aus Angst davor, dass ich Heimweh kriegen könnte! Nein, sie sollten sich keine Sorgen machen – es ginge mir prächtig!

Als ich nach Hause durfte, hatte ich meine Lektionen gelernt. Ich hatte verstanden, was auf mich zukommen würde.

Mein Leben vor der Verschickung war darauf ausgerichtet gewesen, Selbstvertrauen aufzubauen und auf meinen eigenen Füßen laufen zu lernen, damit mich die Aufgaben, die im Leben auf mich warteten, nicht aus dem Gleichgewicht brächten. In einem gesunden Umfeld lernte ich, mich auf mich und meine Gefühle verlassen zu können. Dass das Leben auch Gefahren bergen konnte, hatte ich verstanden. Selbstbewusst testete ich die Grenzen dessen, was ich konnte aus, um fortan an dem zu arbeiten, was noch nicht klappte

Meine Augen leuchteten sobald ich morgens die Augen aufschlug, meiner Phantasie waren keine Grenzen gesetzt und täglich festigte sich der Glaube daran, dass man sich in dieser wunderschönen Welt geborgen fühlen durfte, wenn man mit ihr verschmolzt und auf seine Instinkte hörte.

Die Zugfahrt in den Taunus empfand ich als Tor, das mir einen neuen Abenteuerspielplatz eröffnen würde.

Hätte ich gewusst, dass sie mich so weit von zu Hause entfernte, um mir Mutter Erdens Schoß zu nehmen und mir zu erklären, dass ich einer Illusion erlegen war, wenn ich glaubte, dass das Leben schön sein würde, ich wäre nicht eingestiegen.

Nach einer Woche merkte ich, dass der Abenteuerspielplatz nicht der war, den ich erwartet hatte. Ich wollte nach Hause. Noch schwamm ich in der Fruchtblase meiner schönen Erlebnisse. Doch dann sah ich, wie eine Geburtszange nach mir griff. Geschickt versuchte ich auszuweichen, aber irgendwann packte sie mein Bein. Als die Geburtshelfer merkten, dass ich mich mit dem zweiten Bein gegen den Geburtskanal stemmte, nahmen sie ein großes Messer, rammten es Mutter Erde in den Leib und zerrten mich mit Gewalt in eine Welt des Grauens.

Dann setzte man mich in die Nacht, in der ich lernte, dass es in meiner neuen Welt Sinn machte, sich zu fürchten.

Ich kehrte als völlig verunsichertes Mädchen nach Hause zurück. Ich war gewachsen und hatte ein Kilogramm zugenommen. Dafür ging ich in der Schule nicht allein zur Toilette. Diese lag in dem dunkleren Kellergeschoß, wo die Buscher Männer wohnten.

Die Buchen, das Gras und auch der Hund erwarteten mich mit offenen Armen. Nach außen hin hatte sich nichts verändert.

Doch das Gepäck, das ich im Geiste trug, war schwer wie Blei. Die Lebenslust hatte sich in eine Lebenslast verwandelt. Ich war nicht mehr Teil dessen, was mir in meinem Leben so viel Freude bereitet hatte. Ich begann, mich einsam zu fühlen und versuchte, Kontakte zu einer Welt aufzunehmen, der ich im Grunde nicht mehr vertraute. Bei dem Versuch, mich mit meinem Umfeld zu solidarisieren, damit es mich in Zukunft verschonte, machte das Lügen seine ersten Gehversuche.

Und so wurde meine Einsamkeit erst einmal zu einer logischen Konsequenz. Ich konnte sie mir durchaus erklären. Mich aufzudrängen war nicht meine Art und – war ich nicht immer allein klargekommen?

Ich begann, meine Fingernägel abzukauen.

Irgendwo in mir drin versuchte etwas mikroskopisch Kleines die Gedanken daran, dass sich Leben schön anfühlte, zu bewahren. Doch es war viel zu schmerzhaft, sich daran zu erinnern.

Ohne es zu wissen, begann ich eine Suche nach lauschigen Laubhaufen und einem kleinen Mädchen, das gern mit sich allein ist.

Über das Landschulheim wuchs Gras, und ich lebte mein Leben scheinbar weiter wie bisher, auch wenn es sich nicht mehr so anfühlte. Aus meinem außergewöhnlichen Lebenswillen war ein normaler Lebensunwillen geworden. Die Ursachen gerieten in Vergessenheit. Das Leben fühlte sich fortan falsch an, ohne Antrieb fand ich keine Richtung, in die ich gerne gegangen wäre. Wie ein Pferd, das sein Gehfreude verlor, widerstrebte mir jeder ziellose Schritt.

Menschen mied ich, sie waren mir suspekt. Tieren konnte ich vertrauen, den Elementen auch. Die gesellschaftsfreie Zone war geboren. Dort existierte ich vorerst relativ unbelastet, von meinen Albträumen einmal abgesehen.

Der Kaffeetopf machte pfeifende Geräusche. Carlo stand auf, nahm eine Tasse aus der Spülmaschine, drehte die Gasflamme ab und goss die dicke, braune Brühe in die Tasse. Er kleckerte auf den Tisch und dachte an Kartoffelbrei.

Als er merkte, dass ihm wieder schlecht wurde, ließ er alles stehen, begab sich ins Badezimmer und erreichte diesmal rechtzeitig die Kloschüssel.

Danach ging er wieder ins Bett. Er ignorierte Henriette und schlief noch einmal tief ein.

Als er wieder erwachte, war sie verschwunden. Seine Kopfschmerzen waren auf einen Pegel gesunken, den er ohne weiteres ertragen konnte.

Er setzte sich auf und stellte erleichtert fest, dass ihm nicht mehr übel wurde.

Vorsichtig rekapitulierte er die Geschehnisse der feuchtfröhlichen Geburtstagsfeier, die damit geendet hatte, dass er betrunken von einem Frauenkörper zum nächsten waberte, in der Hoffnung, dass sich eine der attraktiven, weiblichen Konturen dazu herabließ, ihm Halt zu geben.

Aber es war vergebens. Hatten die Ladies anfangs noch über seine Geschichten gelacht, so lachten sie zu fortgeschrittener Stunde nur noch über ihn und seinen wackeligen Zustand.

Anscheinend hatte sich am Ende wieder einmal Henriette erbarmt. Eine etwas spröde Chemielaborantin mit schmalen Schultern, kleinem Busen und einem stattlichen Hinterteil, die es sich anscheinend zur Aufgabe gemacht hatte, sich um ihn zu kümmern, wenn er selbst dazu nicht mehr in der Lage war.

Warum sie über Nacht geblieben war, entzog sich seiner Kenntnis. Nicht sein Beuteschema, aber immerhin, sie hatte ihn heil nach Hause verfrachtet, bevor er wieder an der Bushaltestelle einschlafen konnte.

Dort war er vor einigen Monaten von einem Krankenwagen aufgegabelt worden, weil er bei minus 7 Grad seine Jacke in der Disco vergessen hatte und nur mit einem T-Shirt bekleidet auf der Bank im Wartehäuschen völlig betrunken mit einer roten Pudelmütze kuschelte, deren Herkunft ihm bis heute ein Rätsel war. Wie sich im Krankenhaus herausstellte, war er tatsächlich unterkühlt. Sie behielten ihn drei Tage zur Kontrolle im Hospital.

Er schob den Gedanken zur Seite, ging ins Bad und stellte sich unter die kalte Dusche. Er duschte heiß, dann wieder kalt. Noch während er sich abtrocknete, ging er in die Küche, wo er feststellte, dass Henriette, den von ihm am frühen Morgen bereiteten Kaffee, getrunken hatte. Die Kaffeekanne war jedoch wieder frisch befüllt, so dass er sie nur noch auf den Herd zu stellen brauchte. Er zündete die Flamme an und verschwand im Schlafzimmer, um sich anzuziehen. In der Küche zurück, nahm er sich von dem Kaffee, der auf dem Gasherd blubberte und setzte sich an den Tisch. Die Wasserflasche aus der Speisekammer stand noch dort, wo er sie am Morgen hingestellt hatte. Auch die gelbe Mappe lag unberührt auf dem Küchentisch. Daneben eine Nachricht von Henriette, die er ungelesen beiseiteschob. Er nahm den gelben Hefter zur Hand und begann, sich erneut mit Olga Varanski zu beschäftigen.

Bianca

Bis ich fünfzehn war, gab es nur eine einzige Person, die ich als Freundin bezeichnet hätte, und das war Bianca. Bianca Kerscher. Wenn sie nicht immer wieder brav die Fragen des Lehrers beantwortet hätte, wäre jeder davon ausgegangen, dass sie stumm sei.

Ich lernte sie kennen, als ich in die fünfte Klasse der Gesamtschule in Hennersbeck versetzt worden war. Ich hatte den Stuhl neben ihr besetzt, den ganz offensichtlich niemand beanspruchte, der Bianca bereits kannte. Bei all denen, die mit ihr die Grundschule besucht hatten, verursachte der Name Bianca ein ausgeprägtes Müdigkeitsgefühl. Mit anderen Worten: Sie galt als Streberin und die personifizierte Langeweile.

Da ich auf dem Dorf die Grundschule besucht hatte und als Neuzugang völlig unvoreingenommen das neue Schuljahr begann, konnte ich nicht wissen, warum der Platz neben Bianca frei geblieben war. Auch wenn sie keinen Ton gesagt hatte, war doch ein kleines Lächeln über ihr Gesicht gehuscht, als ich mich neben sie setzte.

Wie sich herausstellte, war der Platz für mich goldrichtig. Da sie nur in der Lage war, Fragen zu beantworten, ihr jedoch jegliche Fähigkeit abging, Sätze zu bilden, die ausschließlich einer Unterhaltung dienten, konnte sie mir nicht gefährlich werden.

Sie redete kein Wort, und ich stand nicht unter Druck ihr gegenüber, was mich betraf, eine Fassade aufbauen zu müssen. Wir passten zusammen wie die Faust aufs Auge. Weil wir gelernt hatten allein klarzukommen, brauchten wir einander nicht. Es war nicht wichtig zu wissen, warum sie so schweigsam war. Ob es ihr so ging wie mir, die durch alles, was sie sagte, in eine Zwickmühle geriet. Weil das Lügen gut überlegt sein musste, wenn die Tarnung, die ich für meine gesellschaftsfreie Zone brauchte, nicht auffliegen sollte. Ob sie aus freien Stücken so schweigsam war oder nicht, war völlig egal. Wir konnten die andere lassen, wie sie war, und mussten einander nichts beweisen.

So saß ich einen Monat neben ihr und fasste Vertrauen. Bei Bianca handelte es sich um eine Person, die keine Ansprüche an mich stellte. Unsere Kommunikation basierte auf Mimik und sonst nichts. Alles deutete darauf hin, dass sie nicht vorhatte mir Geschichten über sich zu erzählen und der Gedanke daran, dass ich auch, was mich betraf, bei der Wahrheit bleiben konnte, etablierte sich. Da ich traumatisiert, aber nicht schüchtern war, begann ich vorsichtig, verbal Kontakt zu ihr aufzunehmen. Mit kleinen Kommentaren, die keine Antwort erforderten, versuchte ich, sie zum Lachen zu bringen. Ich war erstaunt, dass mir das tatsächlich gelang und überrascht von der Nebenwirkung: jedes kleine Grinsen, das ich ihrem Gesicht entlockte, erinnerte mich daran, dass ich einmal glücklich gewesen sein musste. Glück fühlte sich gut an und Biancas Lächeln wurde fortan zum Objekt meiner Begierde. Sie entwickelte sich zum Volltreffer! Bianca war alles andere als langweilig, sie hatte sogar einen ausgeprägten Sinn für Humor!

Auch wenn ich mich über Biancas Grübchen freuen konnte, die ihr Lächeln zierten, waren die Lehrer alles andere als begeistert von uns. Sie hatten kein Verständnis dafür, dass die Klassenbeste und im Grunde einzige Schülerin, die an ihren Lippen hing, begann sich zu amüsieren, statt ausschließlich an ihre Schulkarriere zu denken.

Von dem Tag an, an dem es mir gelang, ein glucksendes Lachen in ihrer Kehle zu provozieren, landete ich regelmäßig mit meinem Stuhl in der Ecke des Klassenzimmers. Das Kollegium hatte nicht vor, sich diese Glanzleistung deutscher Erziehung von mir ruinieren zu lassen. Sie hätten sich gar keine Sorgen zu machen brauchen.

Auch wenn mein Arm vorübergehend länger war als der der Pädagogen, (ich musste ihr nur einen vielsagenden Blick zuwerfen und sie kicherte sich ins Fäustchen), tat die neu erworbene Fröhlichkeit ihrer schulischen Leistung keinen Abbruch.

Erleichtert nahm die Lehrerschaft zu Beginn des sechsten Schuljahres zur Kenntnis, dass mein Vater beruflich nach München versetzt worden war. Der Platz neben Bianca blieb in der sechsten Klasse wieder leer, genau wie die Ecke, in die man mich regelmäßig strafversetzt hatte.

Biancas Geburtstagsfeier, im „Wildpark Nissenhagen", werde ich niemals vergessen. Er entpuppte sich nicht nur als Abschied von Hennersbeck. Dort beschritten Bianca und ich die letzten gemeinsamen, vertrauensvollen Schritte unserer kleinen Freundschaft.

Auch wenn wir in einer kleinen Gruppe dorthin gefahren waren, gab es niemanden, der mich daran hinderte, allein durchs Unterholz zu pirschen. Während mich in meiner Welt zwei Eichhörnchen auf Schritt und Tritt verfolgten, beobachtete ich, wie Bianca in ihrer Welt mit einem Luftpferd durch die norddeutsche Prärie ritt und Bisons jagte.

Ihr langes, schwarzes Haar wehte im Wind.

Der Blick war konzentriert, als sie ihren Bogen zückte und eines der mächtigen Tiere ins Visier nahm.

Als wir uns Jahre später wieder trafen, hatte ich bereits angefangen, den Kontakt zu meiner eigenen Welt aufzugeben. Ich versuchte mich aufzulösen, um den Selbstbetrug abzuschütteln. Der Prozess war schleichend. Was wie ein Bodennebel aus Lügen begann, umgab mich zunehmend wie eine bunte, laute Wolke. Mit viel Schall und Rauch begab ich mich an die Oberfläche meiner Existenz.

Kulisse, Generalprobe, Premiere

Als die Pubertät begann, suggerierte mir mein verrückt gewordener Körper, dass es an der Zeit war, meine gesellschaftsfreie Zone zu verlassen und mich mit Individuen zu solidarisieren, die genauso zerstört waren wie ich selbst. Ohne zu wissen, dass wir unsere Traumata für jeden von uns sichtbar vor uns hertrugen, schwirrten wir umeinander her, wie die Motten um das Licht. Auch wenn die schlimmen Dinge in Frieden ruhten, war uns klar, dass uns etwas verband. Wir waren die „Anormalen". Die, die sich mit Recht schlecht fühlen sollten, weil sie offen zur Schau trugen, was man aus ihnen gemacht hatte. Ohne es zu beabsichtigen, brachten wir eine Gesellschaft in Verruf, die behauptete, dass das, was wir erlebt hatten, ganz normal sei - nicht schlimm! Man warf uns vor zu lügen. Das stimmte auch. Wir logen, dass sich die Balken bogen, um die Wunden zu verstecken, die man uns zugefügt hatte, damit niemand einen Finger hineinlegte.

In dieser aufregenden Zeit, in der ich meine sichere Zone vorsichtig verließ, um mich auf eine emotionale Rutschpartie zu begeben, begegnete mir die erste Illusion eines Laubhaufens. Ich war gerade 15 Jahre alt geworden. Er hieß Jasper.

Dass es sich bei Jasper um einen Laubhaufen handelte, wäre mir nie in den Sinn gekommen, hätte nicht die Mutter meiner Freundin, bei der ich zum

Geburtstag eingeladen war, die Erdbeerbowle mit einem gehörigen Schuss Sekt verdünnt. Ich war das erste Mal im Leben betrunken und hatte damit auf Anhieb zwei meiner Probleme gelöst.

Mit jedem Schluck Bowle trat meine Befangenheit einen Schritt zurück und es stieg eine junge Dame auf die Bühne, die trotz Publikum scherzen konnte. Die fünfzig Augenpaare, die wütend und angewidert auf mich und meinen Kartoffelbrei gestarrt hatten, wandelten sich in freundliche, rotwangige Teenagergesichter, die sich anscheinend prächtig über die von mir erzählten Anekdoten amüsierten. Unter dem Einfluss von Erdbeeren in Prickelwasser lief ich zu Höchstform auf, und nun lachten sogar die Erwachsenen mit. Ich hatte ein Mittel gefunden, mit dem ich mich ungezwungen in einem Umfeld bewegen konnte, von dem ich mich normalerweise bedroht fühlte.

Im Rahmen einer weiteren „Räuberpistole“ entstand eine Rangelei, die in einer wilden Jagd endete. Jasper nahm die Verfolgung auf und mich dann in den Arm. Sachte landete ich mitten in meinem schmerzlich vermissten Laubhaufen:

mein erster Kuss.

Verwandelt und geborgen, stieg ich um 22.00 Uhr in das Auto meiner Mutter. Der entrückte Gesichtsausdruck begleitete mich in den Schlaf, nur um mich in der Nacht schmählich zu hintergehen und mich wieder verschwinden zu lassen. Auf dem Weg in die Schule wurde mir schmerzlich bewusst, dass mich der Kartoffelbrei wieder eingeholt hatte.

Und wer zum Teufel hatte hier Laub geharkt?

Es war ganz offensichtlich, dass Jasper nicht auf gestampfte Erdknollen abfuhr. Er stand auf Heike, seine langjährige Freundin.

Ich war schockiert und befand mich in einer Art Dämmerzustand. Den Laubhaufen zu finden und ihn gleich wieder zu verlieren, fügte mir regelrecht körperliche Schmerzen zu.

Das hatte ich davon, dass ich meine klare Sicht ausgeschaltet hatte und glaubte, an alte, schönere Zeiten anknüpfen zu können. Ich kehrte augenblicklich in meine Sicherheitszone zurück. Die Gefühlsdramen, die sich nach meiner schmerzlichen Erfahrung abspielten, beschränkten sich damit auf mein Innerstes. Nach außen hatte ich wieder meine Rüstung angelegt. Die Ebene, auf der ich litt, war wieder unter Verschluss. Der Panzer saß perfekt. Die Achillesferse verschwand unter bunten Socken.

Doch die Empfindungen brodelten und setzen der Vernunft unaufhörlich zu. Und so dauerte es nicht lange und prickelndes Nass floss über meine Lippen, die Bühne erwartete mich mit neuem, strahlendem Licht und mit einem neuen Laubhaufen: Holger!

Und Holger sollte mir tatsächlich eine Weile erhalten bleiben.

Als er mir eröffnete, er würde gerne mit mir zusammen sein, war ich ungeheuer erleichtert. Überrascht von dem Angebot, das er mir machte, fiel ich ihm so stürmisch in die Arme, dass er kurz davor war, das Gleichgewicht zu verlieren. Er hatte von dem Mädchen, das er für cool hielt, eine andere Reaktion erwartet.

Ich war noch keine 16 und überglücklich. Bereits nach so kurzer Zeit schien ich meine Rolle so überzeugend rüber zu bringen, dass mich jemand als liebenswert einstufte.

Wenn er gewusst hätte, welche Gnade er mir erwies, hätte er mich mit einem mitleidigen Blick bei Seite geschoben und wäre nicht jämmerlich an meinem langen Arm verhungert. Nähe und Vertrauen gehörten nicht mehr zu meinem Repertoire. Aber das war mir ja damals genauso wenig bewusst wie ihm.

Und so versuchten wir unser Glück.

Ich begab mich mit Hingabe auf die größere Bühne, die mir Holger verschaffte. Er war über 18 und hatte ein Auto. Ich wuchs mit meinen Aufgaben und besser in meine Rolle.

Gleichzeitig war ich mein schlimmster Kritiker. Ständig beobachtete ich mich: Die Art mich zu bewegen, Mimik und Gestik. Nach und nach lernte ich, gut anzukommen, vor allem, wenn es um Laubhaufen ging.

Egal, ob ich trank oder nicht, es war gar nicht leicht, mir in die Karten zu schauen. Ohne Alkohol war ich eher schüchtern aus Angst davor, „falsch“ zu sein. Ich ließ mich ungern zu spontanen Äußerungen hinreißen. Bei meinen wenigen Versuchen, in einer Gruppe etwas Schlaues zum Thema beizutragen oder schlagfertig zu sein, war ich so verkrampft, dass tatsächlich nichts sonderlich Geistreiches über meine Lippen kam.

Wenn ich nüchtern war, hielt ich also lieber den Mund. Und ich war mir sicher, dass das der Grund war, warum es Holger so lange mit mir aushielt. Darauf, dass es dabei auch andere Aspekte gegeben haben muss, bin ich erst Jahrzehnte später gestoßen, als mir einfiel, dass das u.a. auch an meinem vorzeigbaren Äußeren gelegen haben könnte: langes, kräftiges Haar, sportliche, schlanke Figur, ebenmäßige Gesichtszüge gepaart mit großen, unschuldigen Augen.

Dass die geweiteten Augen genau das widerspiegelten, was ich fühlte, das Herzrasen eines Kaninchens auf der Schlachtbank, ahnte niemand.

Sobald die Trinkersonne aufging, hatte ich Auftritte, während derer ich selbstbewusst die Hüften schwang und gelassen durch das Laub schlenderte, das mir zu Füßen lag.

Holger drang nicht in meine Sphären vor, war aber enorm stolz darauf, dass ihn viele Männer um mich beneideten. Er hatte nur ein Problem: So leidenschaftlich ich küsste und mit den Hüften drehte, genauso leidenschaftlich verteidigte ich meine Unschuld. Obwohl er die Kunst des Entblätterns an seiner Ex schon ausgiebig erprobt hatte, scheiterte an mir sein Unterfangen.

Wenn er geahnt hätte, dass er gerade versuchte, ein verschrecktes Karnickel zu entjungfern, wären ihm seine frischen, männlichen Triebe augenblicklich verdorrt.

Durch die Mauer, die ich um meine defekte Psyche zu ziehen begann, als ich meine emotionale Sicherheitszone verließ, war ich nicht als ängstlich glotzendes Haustier zu erkennen. Ich hatte auch nicht vor, ihm davon zu erzählen.

Die Rolle, die mir die Entdeckung von Rauschmitteln zugeschustert hatte, gefiel mir zunächst besser als das traurige Schicksal der Einsiedlerin. Ich ließ nicht zu, dass mein „wahres Ich" an die Öffentlichkeit trat, um mit einem Handstreich meine Engagements auf der Bühne meines neuen Lebens zunichte zu machen. Ich wollte um nichts in der Welt zurück in den Moloch meiner Unzulänglichkeit! Und so tauschte ich meine abgetragene Wirklichkeit gegen den Schein im neuen Gewand. Ich änderte die Richtung auf einer Straße, die noch immer nicht meine eigene war.

Die Enttäuschungen reihten sich weiterhin aneinander. Wie sich Nähe, Geborgenheit und Vertrauen anfühlten, war im Laufe der Zeit genauso in Vergessenheit geraten, wie die traumatische Verschickung. Es war unmöglich, über etwas nachzudenken, das nicht da war.

Liebe bedeutete, Misstrauen zu säen und Schmerz zu ernten. Bei dem Versuch, mich vor Nähe zu schützen, verursachte ich Schmerz und Misstrauen schlug mir entgegen. Während ich immer wieder darüber reflektierte, was ich falsch machte, drehte ich mich im Kreis.

Ohne den tieferen Sinn meines Verhaltens zu erkennen, war es mir nicht möglich, daran etwas ändern zu können. So litt Holger weiter und musste schließlich hilflos dabei zusehen, wie ich meine Hülle an einen Dänen vergab, dem es gelang, sich und mich perfekt in Szene zu setzen: Tom!

Seine Rolle als Clown beherrschte Tom bis ins Detail und wurde diesbezüglich mein Lehrmeister. Wir lernten uns auf einem Stadtfest kennengelernt, als ich die Sommerferien bei meinen Großeltern in Dänemark verbrachte. Als wir uns in den frühen Morgenstunden nach vielen Küssen und reichlich Gelächter trennten, gab er mir sein Portemonnaie als Pfand und Symbol dafür, dass er mir vertraute. Er wollte mich unbedingt wiedertreffen.

Bereits an unserem ersten Abend begann eine Beziehung, die sich im Rückblick als der Beginn meiner Therapie herausstellen sollte. Tom brachte mich so oft in Situationen, die die Aufmerksamkeit einer breiten Öffentlichkeit auf mich zog, dass ich in seiner Nähe aufhörte, mich vor ihr zu fürchten. Bei einem Einkaufsbummel durch Kopenhagens Altstadt setzte er mich in eine große Kiste, in der ein Geschäft flauschige Kissen zum Verkauf anbot. Jedes Mal, wenn ich versuchte, aus dem überdimensionalen Pappkarton zu krabbeln, begann dieser zu kippen und die Kissen drohten, sich auf den Bürgersteig zu ergießen. Er stand fünf Meter weiter und amüsierte sich zunehmend darüber, wie ich versuchte, der peinlichen Lage zu entkommen, möglichst ohne Schaden zu nehmen oder anzurichten.

Natürlich war ich Zielscheibe vieler vorwurfsvoller Blicke, aber es gab auch diejenigen, die sich zu Tom gesellten und mir fröhliche Ratschläge zuriefen, während sie sich die Bäuche hielten vor Lachen. Was blieb mir anderes übrig als mitzulachen, auch wenn ich am liebsten im Boden versunken wäre. Ein Verkäufer reichte mir schließlich die Hand und half mir heraus. Ich nahm die Verfolgung auf und jagte Tom durch die Einkaufsstraße. Er lauerte mir an einer Häuserecke auf, zerrte mich mitten auf die Straße, wo er mich auf einem Zebrastreifen solange festhielt und küsste, bis sich ein hupender Stau bildete und der Fahrer eines Kleinlastwagens mit hochrotem Kopf ausstieg, um uns in den Hintern zu treten. Wir flohen und verschwanden kichernd in der Menge. Instinktiv wechselte ich meine Lebensstrategie. Mit Tom begann die Flucht nach vorn.

Meine Unschuld war ein Preis, den ich gerne dafür zahlte, dass er meine Hand nahm und mir zeigte, wie man die Tränen lacht, die man nicht weinen kann.

Seine Eltern waren geschieden, und er lebte bei seiner Mutter, die halbtags beim Kopenhagener Finanzamt arbeitete. Sein Vater saß mit einer fortgeschrittenen Muskeldystrophie, mittlerweile vom Kopf an abwärts gelähmt, im Rollstuhl, und man rechnete quasi täglich mit seinem Ableben.

In seinem Schmerz reichte er mir die Hand und ich ging ihm ohne Misstrauen entgegen. So wie ich, hatte Tom im Laufe der Jahre eine Mauer um sich gezogen, hinter die er mich nicht blicken ließ.

Vereint nahmen wir die Maurerkelle und sorgten für einen herrlichen weißen Putz. Als der Putz trocken und fest war, hatten wir viel Spaß dabei, unsere jeweiligen Kulissen mit bunten, lustigen Bildern zu gestalten, die uns das Gefühl gaben, dass wir wirklich fröhlich waren und viel Spaß am Leben hatten.

Irgendwann gingen uns die Farben aus. Bis es soweit war, nutzte ich jede Gelegenheit, mit ihm zusammen zu sein.

Weil mein finanzieller Spielraum als Schülerin sehr begrenzt war, mussten wir uns etwas einfallen lassen. Regelmäßige Bahnfahrten sprengten sowohl meinen als auch seinen Rahmen. Die Lösung brachten Butterfahrten von Kiel nach Kopenhagen, die als Tagestouren lediglich 10,00 DM kosteten. Zurück ging es für wenig Geld über Rödby nach Burg auf Fehmarn, von wo ich den Bus nach Hause nehmen konnte.

Diese Dampfertouren konnten sehr unterhaltsam sein. Bei gutem Wetter saßen wir an Deck, und dachten uns skurrile Lebensgeschichten für die übrigen Passagiere aus, die wie wir in der Sonne saßen. Da wir nicht seekrank wurden, gelang es uns vor allem bei hoher See, gezielt die Hautfarbe gewisser Butterkunden zu verändern. Wenn wir draußen auf See waren und die Dünung den Gleichgewichtssinn ordentlich durcheinanderbrachte, schauten wir uns unsere Tischnachbarn genau an. War ihnen bereits übel, lächelten wir ihnen zu und bissen genüsslich in den Apfelkuchen mit Schlagsahne. Waren sie schon vorher blass, wurden sie nun grün und verließen eilig das Kuchenbüffet. Am Ende saßen wir meist allein unter Deck, lachten uns kringelig und ließen uns den Kuchen schmecken, der genau wie der Kaffee zu dem Bonus einer Butterfahrt gehörte.

Nachdem ich für meine „Ausbildung“ ausgiebig zu See gefahren war, kehrte ich als Schauspielerin aus Kopenhagen zurück. Die bunten, lustigen Bilder meiner Kulisse nahm ich mit.

Zuhause angekommen, stellte ich mich vor. Sowohl Generalprobe als auch Premiere waren ein voller Erfolg. Die neuen Lebenserfahrungen und vor allem der Spaßfaktor bescherten mir etwas, das sich anfühlte wie Perspektive. Ich bestand meinen ersten Test mit Bravour: Max war ein halbes Jahr mit mir zusammen, ohne dass ihm aufgefallen wäre, dass es da noch ein „Backstage“ gab.

Gesellschaft ist hohl

Man lacht, auch wenn einem nicht nach
Lachen zumute ist.

Nur, um nicht allein zu sein,
während man an den Tränen erstickt,
die nicht kommen wollen,
auch wenn man sie bittet.

Ist man bei Atemnot wohl lieber unter
Menschen?

Ein wenig beklommen, nahm er einen Schluck aus der Wasserflasche. Das war nicht die Olga, die er kannte.

Seine Olga Varanski war ein männerfressender Vamp gewesen.

Da war er sich ganz sicher. Sie hatte sie reihenweise um den kleinen Finger gewickelt. Wahllos hatte sie in die Menge gegriffen und sich geholt, wonach ihr verlangte. So wie eine Biene von einer Blüte zur nächsten flog, schien sie sich von wilden Küssen zu ernähren. Sie nahm die Hitze der Lippen auf wie Nektar und flog gleich weiter, ohne auf die Wärme zu achten, die sie in den Körpern der Lippen schürte, die sie küsste.

Auch die Leidenschaft seiner Lippen hatte sie gekostet und war weitergeflogen.

Als er den gelben Ordner wieder an sich zog, um weiter zu lesen, schob er den Zettel mit Henriettes Brief soweit über den Rand des Tisches, dass dieser, leicht hin und herschaukelnd, zu Boden fiel.

Er bückte sich und las, ohne es eigentlich zu wollen:

Herzallerliebster Carlo,

„Guten Morgen, oder, und das wird wohl eher der Fall sein, guten Abend.

Da ich vermute, dass Du Dich an den Ausgang des gestrigen Abends wohl kaum wirst erinnern können, gebe ich Dir nun ein kleines Resümee dessen, was sich gestern in den Morgenstunden in der Wohnung unserer Gastgeberin abgespielt hat: Ich glaube nicht, dass Dich Gaby jemals wieder einladen wird, nachdem Du ihr vor den Augen ihres Ehemannes an den Busen gegrabscht hast. Es war ihr nicht besonders angenehm, dass Du vor allen Leuten anhobst, ihren geilen Arsch zu kommentieren. Dir war das nicht im Geringsten peinlich.

Als Henning Dich besonnen am Arm nahm, um Dich von Gaby wegzuführen, hast Du Dich empört losgerissen und dabei die antike Porzellanlampe, übrigens aus dem Erbe der Großmutter, von der Anrichte gestoßen, worauf das gute Stück auf dem Boden in tausend Teile zerbrach. Immerhin war Dir das, trotz Deines Zustandes, ein wenig unangenehm. Leider hast Du, bei dem Versuch dabei zu helfen, die Scherben zusammen zu kehren, das Gleichgewicht verloren und dich am „Igor Harakaly" festgehalten, ein Original, das sie im letzten Jahr für mehr als 100.000,00 Euro ersteigert hat. Der Dübel, an dem das Bild gehangen hatte, riss aus der Wand, das Bild kippte nach vorn und wurde von der Jugendstil Bronze aufgespießt, die sie wegen der Feier aus der Stube in die Küche gestellt hatte, um im Wohnzimmer mehr Platz zum Tanzen zu haben.

Ich weiß nicht, ob es eine gute Idee ist, bei Gaby und Henning anzurufen, es sei denn, Du möchtest ihnen mitteilen, dass Du bereits mit Deiner Haftpflichtversicherung gesprochen hast, die sich ohne zu zögern dazu bereit erklärt hat, den gesamten Schaden zu übernehmen.

Es handelt bei Dir sich um ein ziemlich teures Pflaster. Bei näherer Betrachtung, hast Du jedoch nicht nur für jemanden, der genügend Kleingeld bereithält, einen wirklich überdurchschnittlichen Unterhaltungswert.

Wenn Du mich wieder brauchst, um Dich heil nach Hause zu bringen, kannst Du ja anrufen. Für amüsante Trümmer bin ich immer zu haben.

Bussi von Henriette

Er lehnte sich zurück. Sein Kopf war hochrot angelaufen, so dass er das Pochen seines Herzens in seinen Ohrläppchen spürte. Er stand auf und lief durch die Wohnung. Er versuchte, sich verzweifelt daran zu erinnern, was passiert war. Das letzte, was er seinen unklaren Gedächtnisfetzen entnehmen konnte, war, dass er vom Sofa aus das Geschehen beobachtete und an das Gefühl, nicht dazu zu gehören.

Dann war alles weg. Ein dunkles Loch, aus dem er erst wieder hervorgelugt hatte, als ihm seine Zunge am Morgen nach dem Leben trachtete.

Er begann zu schwitzen. Das Herz schlug ihm bis zum Hals. Sein erster Impuls war es, bei seinem Versicherungsvertreter anzurufen. Er überlegte es sich jedoch anders und ging zurück in die Küche. Die Cafetera auf dem Gasherd brodelte.

Seine Hand zitterte so, dass es ihm bei seinem ersten Versuch nicht gelang, sich einen Kaffee einzuschenken. Es klappte erst, nachdem er eine Suppentasse aus dem Schrank nahm, deren großer Durchmesser verhinderte, dass er die Hälfte daneben goss.

Er nahm noch einmal Henriettes Nachricht zur Hand. Die Röte schoss ihm erneut ins Gesicht. Sein Haaransatz schimmerte lila in der Abendsonne, die durch das Küchenfenster schien.

Mit einer Wasserflasche in der Hand, lief er nun kreuz und quer durch die Wohnung. Er hatte das Gefühl, dass sich die Wände bewegten und damit drohten, ihn unter sich zu begraben.

Er spürte, wie erschöpft er durch die lange Nacht war. Schließlich legte er sich ins Bett, sein ganzer Körper begann zu zittern.

Sein Herz schlug noch immer in einem Tempo, bei dem er kaum mitzählen konnte. Kalter Schweiß stand ihm auf der Stirn.

Er versuchte, tief einzuatmen und seine Herzfrequenz mit Hilfe seiner Gedanken herunter zu fahren. Es gelang ihm nicht. Der Atem, den er einsog, berührte lediglich die oberste Spitze seiner Lunge, drehte dort um und entfuhr seinem Körper wieder. Ganz ohne den Sauerstoff auszutauschen, den er doch so nötig brauchte. Wie ein Asthmakranker rang er nach Atem, sein Puls raste noch schneller. Noch immer zitterte sein gesamter Körper so sehr, dass die Bettdecke aussah wie ein fliegender Teppich.

Er hielt es im Bett nicht mehr aus. Er überlegte, ob er an die frische Luft gehen sollte. Allein bei dem Gedanken, unter den Mauern der Häuserschluchten begraben zu werden wie unter den Wänden seiner Wohnung, schnürte sich sein Herz noch fester zusammen. Er hatte die Kontrolle verloren und kämpfte mit aller Macht dagegen an, einen Schritt in die Dunkelheit zu machen, die ihn plötzlich umgab.

Erneut hastete er durch seine Wohnung. Wenn er an Henriettes Worte dachte, gesellten sich zu den Wellen der Angst, die Wellen der Scham. Warum nur hatte er wieder so viel getrunken. Er wusste doch, was ihm nach einer durchzechten Nacht blühte.

Er ging in den Flur und suchte in der Jackentasche nach seinem Handy. Es blieb ihm nur eines: Er musste Henriette anrufen und sie um Hilfe bitten. Er schaltete das Telefon ein und der kleine gelbe Brief, der ihm mitteilen wollte, dass man versucht hatte, ihn zu erreichen oder ihm eine SMS zu schicken, erschien auf dem Display. Mit zitternden Fingern öffnete er die Nachricht. Die Nachricht war von Gaby und Henning!

Er drehte seine Augen vom Display weg und richtete den Blick eines gehetzten Tieres an die Zimmerdecke. Am besten wäre es, die Nachricht einfach zu löschen.

Dann nahm er sich zusammen und begann zu lesen.

Von Wut keine Spur. Auf Anhieb verlangsamte sich sein Puls. Noch während er weiterlas, ging er zurück ins Schlafzimmer und ließ sich aufs Bett fallen. „Wir hoffen, es geht Dir heute besser. Henriette war so lieb, Dich nach Hause zu bringen, nachdem Du auf dem Sofa eingeschlafen bist. Hauke hat uns gestern zu seinem Geburtstag eingeladen. Er feiert in zwei Wochen an der Schlei. Sollen wir Dich mitnehmen?"

Er konnte es gar nicht glauben. Er drückte die entsprechenden Tasten und rief zurück.

Gaby nahm den Hörer ab und erkundigte sich gefühlvoll nach seinem Befinden. Sie erwähnte mit keinem Wort weder zerschellte Antiquitäten noch aufgespießte Kunst. Er fragte zögernd nach der Lampe – Gaby schien nicht zu verstehen. Und so langsam dämmerte es ihm. Mit dem Telefon am Ohr holte er den Brief von Henriette aus der Küche und las ihn vor. Gaby bekam einen Lachanfall und reichte den Hörer an Henning weiter. Henning erklärte, dass er sich ziemlich unverschämt über Henriettes „dicke

Kiste“ geäußert hatte, bevor er auf dem Sofa eingeschlafen war. Gaby und Henning fanden es sehr nett, dass sie ihn trotzdem nach Hause brachte.

Von Spröde keine Spur – ihr Denkzettel hatte definitiv gesessen.

Er atmete tief durch. Sein Zustand normalisierte sich langsam. Die Wände standen wieder im Lot und auch der fliegende Teppich ruhte wieder friedlich auf seinem Bett.

Sein Bauch gab ein knurrendes Geräusch von sich. Er hatte bisher noch nichts gegessen.

Bei dem Gedanken an seinen zum Bersten gefüllten Kühlschrank, regte sich in seinem Mund jener Speichelfluss, den seine Zunge am Morgen so schmerzlich vermisste. Er ging mit großem Appetit in die Küche, um sich mit frischem Brot eine Anzahl von Kniften zu schmieren.

Salzige Butter, Salatblatt, Tomate, Käse. Er drapierte seine Stullen auf einem großen Teller, schnappte sich den gelben Ordner und siedelte in sein Bett über, um Olga Varanski diesen Abend zu schenken.

Aufstehen – Mund abwischen – weitermachen

Als ich Anselm kennenlernte, war ich nach einer kurzen Trennung gerade wieder mit Max liiert. Mit Max als sicherer Bank im Rücken, präsentierte ich mittlerweile auch ohne Alkohol ein relativ selbstsicheres Auftreten. Ich fühlte mich ungeheuer wohl in meiner neuen Haut.

Anselm war beeindruckt von dem Bild, das sich ihm bot, und was seinen Jagdtrieb ganz besonders anstachelte, war die Tatsache, dass ich mich nicht von Max trennte.

Es war, als hätte mir mein Unterbewusstes einen Wink gegeben und ich zweifelte daran, ob ich mein sicheres Engagement bei Max gegen eine Rolle tauschen sollte, von der ich nicht wusste, ob ich ihr gewachsen war.

Anselm lockte mit immer verführerischeren Angeboten, und es gelang ihm, mich zu einer nächtlichen Vorstellung zu überreden.

Ich wurde dabei gesehen, wie ich in sein Auto einstieg, und mir wurde heiß und kalt. Eines wollte ich nicht: Dass es Max die Spatzen vom Dach pfiffen, dass ihn seine Freundin hinterging.

Ich ließ Anselm stehen und klopfte an Max´ Fenster. Als er mich einließ, hörte ich, wie Anselm vor Wut begann, die Straßenbeleuchtung „auszutreten“.

Während ich mein Engagement bei Max zurückzog und die Beziehung beendete, kurierte Anselm seine gekränkte Eitelkeit mit Franziska, seiner „Ex", mit der er angeblich schon seit einem halben Jahr nicht mehr zusammen war. Dass er zweigleisig fuhr, war nichts, was er an eine große Glocke hängen wollte.

Dass er mir, was seine zwischenmenschlichen Beziehungen betraf, nicht ganz reinen Wein eingeschenkt hatte, wurde mir erst klar, als ich in meiner Naivität bei Franziska anrief. Ich erzählte ihr, dass Anselm mich angerufen hatte, um sich mit mir zu verabreden. Von einer Sekunde zur anderen erstarrte sie zu klarem, klirrendem Eis und sagte: „Anselm ruft niemanden an!" Dann legte sie auf.

In dem Augenblick war mir klar, dass ich die falsche Entscheidung getroffen hatte und dass die Rolle, die auf mich zukam, keine Schöne werden würde. Aber da war es bereits zu spät. Franziska schickte Anselm zur Hölle, und weil er gerade niemanden sonst hatte, buhlte er weiter um mich.

Es dauerte keine drei Monate, bis mir klar wurde, dass ich nicht die Einzige war, die mit ihm das Laken teilte. Eines Morgens, als ich noch schlaftrunken in seiner Dachkammer lag, sah ich, wie er die Zündhölzer nahm und das Laub anzündete, das den Weg zu seinem Bett gesäumt hatte.

Während sich andere mit Messern schnitten und Nadeln durch die Wangen zogen auf die Gefahr hin, bis zu ihrem Tode mit einer facialis Parese gestraft zu sein, die ihnen den Speichel aus den Mundwinkeln würde laufen lassen, fügte ich mir andere Verletzungen zu.

Auch wenn es immer länger dauerte, bis ich einknickte, nahm ich die Rolle, die Anselm mir so schmackhaft machen konnte immer wieder an. Solange, bis ich emotional so entstellt war, dass ich sogar für seine Bühne zur Zumutung wurde. Er verriegelte seine Tür und ließ sich am Telefon verleugnen.

In den Phasen, in denen ich mir die Wunden leckte, erhielt ich wohlgemeinten Krankenbesuch. Nette junge Männer, die kamen, um mich zu unterhalten und mich zum Lachen zu bringen. Höflich spielte ich die Rolle, die mir am besten gelang – den Clown! Immer gut drauf, das konnte jeder bestätigen. Sie kamen, aber ich konnte sie nicht sehr dicht an mich heranlassen – der Geruch von verbranntem Fleisch wäre für sie eine Zumutung!

Auch wenn ihnen das sicher nicht klar war, diese jungen Männer waren für meine Karriere ungeheuer wichtig. Sie gaben mir die Kraft, das zu tun, was eine gute Schauspielerin tut:

Aufstehen – Mund abwischen – weitermachen.

Der durch ihre regelmäßigen Besuche fortschreitende Vernarbungsprozess führte dazu, dass meine Kulisse immer wieder in neuen Farben erstrahlte. Das war dann der Zeitpunkt, als Anselm wieder auf der Bildfläche erschien, mich für seine kurzen Gastspiele engagierte, nur um mich im nächsten Augenblick wieder zum Scheiterhaufen zu führen.

Natürlich gab es auch Männer, die ein ähnliches Schicksal ereilt hatte wie mich. Zu denen gehörte Gregor.

So gut wie genesen und frisch aus der Maske, stattete ich ihm Krankenbesuche ab. Ich unterhielt ihn, brachte ihn zum Lachen, aber in seine Nähe kam ich nie. Es war, als wollte er mir seinen Brandgeruch verheimlichen.

Der Schmerz und das Misstrauen waren zurück. Ich verbarg sie hinter der Maske des Clowns.

Wie im Teufelskreis und zu schwach, die Tür nach draußen aufzustoßen.

Ich drehe mich um mich selbst.

Das Selbstmitleid belügt mich und verschließt meine Augen.

Mein Bauch fordert mich auf, meine Fehler immer aufs Neue zu wiederholen.

Tut er das aus Angst davor, ignoriert zu werden?

Dabei macht er sich zum Gespött meiner Gedanken.

Man lacht über mich.

Ich auch.

Wie dumm von mir.

Die Person, die diesen Text geschrieben hatte, hatte die Namen aus seinem Buch übernommen. Olga, wie er Odette genannt hatte. Jetzt tauchte auch noch Anselm auf – sein Freund Anton. Sogar Flora wurde erwähnt, eine langjährige Freundin, die er auch heute noch regelmäßig traf. Franziska hieß sie hier, genau wie in seinem Buch. Er griff nach dem Telefon, das auf dem Nachtschrank lag und wählte Antons Nummer.

Sie hatten schon lange nichts voneinander gehört und es verging eine Weile, bevor er auf den Grund seines Anrufes zu sprechen kam.

„Kannst du dich an Olga Varanski erinnern? Die aus meinem Buch?“ fragte er in eine kurze Gesprächspause hinein.

„Natürlich kann ich das. Odette. Wenn sie gut drauf war, ging kein Weg an ihr vorbei.“ Ich glaube, sie war ziemlich in mich verliebt. Aber nach einer Weile kriegte ich Platzangst. Wenn sie mich mit ihren Kulleraugen ansah, hatte ich immer das Gefühl, für ihr Glück verantwortlich zu sein. Das Paar Schuhe war mir allerdings eine Nummer zu groß. Ich habe mich dann von ihr getrennt und gehofft, dass sie schnell wieder auf die Beine kommt.

Sobald wir nicht mehr zusammen waren, verschwand sie für eine Weile von der Bildfläche. Irgendwann tauchte sie dann wieder auf, strotzte vor Kraft und Selbstbewusstsein. Ein Zustand, dem ich nicht widerstehen konnte. Leider hielt dieser Höhenflug nie lange an. Spätestens nach zwei Monaten kam wieder der depressive Dackelblick. So ging es ein paar Mal hin und her. Irgendwann war sie dann mit Piet zusammen. Wieso fragst Du? Hast Du sie irgendwo getroffen?“

„Nee, aber ich habe jemanden getroffen, der sie kennt. Der hat sie aber auch aus den Augen verloren.“ Er lenkte wieder vom Thema ab, schlug ein Treffen vor und beendete das Gespräch.

Er nahm einen großen Bissen von der Käsestulle und schnappte sich erneut den gelben Ordner. Was seine Olga wohl noch alles zu bieten hatte?

Licht, Schatten und die unendliche Weite des Universums

Nachdem mir Anselm das Engagement aufgekündigt hatte, brauchte ich wieder neuen Mut, bevor ich mich erneut ins Rampenlicht traute. Bis es soweit war, besann ich mich auf meine „gesellschaftsfreie Zone“, in der ich mich ausgiebig meinen Vierbeinern und meinem Strickzeug widmete. Das einzige Milieu, in dem ich voll aufging, ohne einen einzigen Tropfen Alkohol zu benötigen.

Laubhaufen gab es dort reichlich: Musikalischer Natur. Vertrauen pur. Nichts das mir gefährlich werden konnte. Kontemplative Zeit ohne Bedingungen, ohne Erwartungshaltung. Den Rausch besorgten mir die Lebensräume, in denen ich wortlos kommunizierte, wo ich eins sein konnte mit meinen Gefährten, unterwegs in einer Welt, in der Gewalt keine Bedrohung darstellte, weil Sturm und Gewitter, Sturzregen und Hitze, ihre Gesichter ganz offen zur Schau stellten und keine Masken trugen. Man konnte sich darauf verlassen, dass drei Windstärken keine 120 Kilometer in der Stunde hinlegten und dass sich Gewitter ankündigte, genau wie ein Regenschauer oder der Sonnenbrand. Keine Fake News! Dort hatte ich das Gefühl von absoluter Freiheit. Natur und Musik bargen keine Fallen, in die man tappte. Tiere hatten mich noch nie enttäuscht. Ich vertraute ihnen blind. Sie sprachen eine klare Sprache und logen nie! Wir begegneten einander wie selbstverständlich auf Augenhöhe. Absolutes Vertrauen. Loslassen. Wir schauten einander direkt in die Seele, wir konnten nichts voreinander verbergen. Warum sollten wir das auch tun? Es war ja gar nicht nötig. Sich zu verstecken, machte hier keinen Sinn, denn es gab nichts zu befürchten.

War ich von Tieren umgeben, war ich locker und entspannt. Kamen Menschen ins Spiel, wurde es für mich kompliziert. Ohne Vertrauen kommunizierte ich wortlos auf einer Ebene, die mit Tabus gepflastert war und tastete mich durch ein subtiles Mienenfeld. Denn ich war nicht die einzige, die sich hormonell ferngesteuert in diesem Krisengebiet wiederfand. Austausch gestaltete sich in der Regel sehr schwierig, weil jeder sein Päckchen trug, über das er nicht sprechen wollte. Oder nicht sprechen konnte, weil das Päckchen unentdeckt hinter Ahnungslosigkeit dahindümpelte.

Auf der unbewussten Ebene klappte es wunderbar, wir fühlten uns als „Leidensgenossen" voneinander angezogen. Die Fassaden, die wir zu gestalten begonnen hatten, waren noch nicht blickdicht. Das, was verborgen werden sollte, erkannte sofort, was das Gegenüber zu verbergen suchte. Es entstand Solidarität.

Empathie war nicht erwünscht. Zu gefährlich. Aber ein sicheres Zeichen dafür, dass man das Schaufenster noch nicht cool genug dekoriert hatte.

In der Welt, die wir möglichst wenig durchsichtig zu gestalten suchten, war ein überzeugender Austausch nicht möglich. Das, was wir vor gaben zu sein, stand im Gegensatz zu dem, was wir ausstrahlten. Wir verirrten uns in Missverständnissen, die nur damit logisch zu erklären waren, dass man tatsächlich niemandem trauen konnte, nicht einmal sich selbst. Umgeben von etablierten Strukturen, die dafür sorgten, dass wir den emotionalen Dreck, den wir mit uns herumschleppten, hüteten, statt ihn als solchen zu entlarven, zu zerbröseln und mit einer Windböe über der Ostsee zu entsorgen.

Wir entwickelten unterschiedliche Strategien, die dazu dienen sollten, dass wir uns unterhielten, ohne wirklich miteinander kommunizieren zu müssen. Am besten gelang dies über den Spaßfaktor. Ein Trick, mit dem wir ganz geschickt den Ernst der Lage umschifften. Wir tranken oder kifften oder beides zusammen und hörten auf, streng mit uns selbst zu sein. Unsere Schultern fielen herab, während wir die Goldwaage, die unser Betragen minutiös kontrollierte, außer Kraft setzten. Ein herrlich freies und unbeschwertes Gefühl, das uns abheben ließ.

Bis wir fielen, bis es dunkel wurde. Im Dunklen, in dem wir einander vertrauensvoll hielten bis die Erinnerungen an das, was wir ohne Hemmungen taten, dafür sorgten, dass wir uns schämten. Wir zogen uns aus, anstelle uns zu öffnen. Nackt war so nah wie es ging. Mechanisch stellten wir unsere brodelnde

Haut zur Verfügung und genossen das schöne Gefühl einer oberflächlichen Berührung. Alkohol bescherte uns die Laubhaufen, die uns zwar wärmten, solange wir in unserem Nebel die gewünschten Konturen herbeisehnen konnten. Umso grotesker war die Wahrheit, sobald die Sonne aufging und unseren Nebel lichtete. An solchen Tagen fühlten wir uns nicht nur körperlich, sondern auch seelisch geschunden. Der ehrliche Wunsch nach Geborgenheit hatte ganz offensichtlich seine Tücken.

Und so spulte sich regelmäßig im Schnelldurchlauf ab, was mir in meiner Kindheit passierte war: Der Schwips war die Rückkehr in die glückliche Kindheit, wo der Rausch meiner Scham ein Schlaflied sang und mich das Schlimme vergessen ließ, im Morgengrauen küsste mich die Lüge zurück in die Welt, die sich nicht mehr wie meine eigene anfühlte.

Ich verlor die Achtung vor mir selbst. Nüchtern konnte ich mich kaum ertragen. Und weil es nicht nur mir so ging, schwirrten wir erneut gemeinsam durch das Abendlicht, stießen auf die Hände an, die wir uns reichen würden, um gemeinsam durch den Sumpf zu waten. Wir waren füreinander da. Man hatte uns erklärt, dass wir nicht in der Lage seien, für uns selbst zu sorgen. Unter diesem Aspekt machten Emotionen nur noch als Druckmittel Sinn und verloren ihre ursprüngliche Funktion. Wir waren gefangen in der richtigen, verkehrten Welt.

In dieser Zeit war Philipp einer meiner regelmäßigsten Besucher. Im Gegensatz zu vielen anderen stellte er nie Ansprüche irgendeiner Art. Er war Ornithologe. In Paris geboren und einfach immer nur da.

Lag ich nach meinen nächtlichen Eskapaden zerknickt im Bett, stand er in der Tür. Er jagte die Scham davon, nahm meine Hand und wir flohen gemeinsam vor uns selbst.

Genau wie ich lief er bereits seit Lichtjahren vor sich davon. Auch er hatte seine Schutzzonen in der Natur und brachte mich wieder in die starken Armen der knorrigen Eichen zurück. Ich ließ mich erneut in den silbernen Wurzeln der Buchen nieder und das Gras hatte die gleiche Farbe wie in Kindertagen. Bucheckern waren nicht mehr so lecker, ich kiffte jetzt lieber. Im Nebel tastete ich nach Mutter Erdens Schoß.

Wenn wir so im Gras lagen und über das Meer schauten, fühlte ich mich fast so wie damals, als ich mit den Buchen auf meinem Hügel gestanden und der Wind mir die Haare in das Gesicht gepustet hatte.

In all den Jahren berührte Philipp meinen Körper nur, um ihn zu stützen. Er nutzte es nie aus, wenn meine Sicherungen durchknallten und ich im Dunkeln tappte. Im Gegenteil. Er sammelte mich ein und lenkte mich heim, wenn ich die Orientierung verlor. Am nächsten Morgen stand er da, drückte mir einen

Kaffee in die Hand, startete seinen Ford Granada und fuhr mich zurück in meine frühe Kindheit.

Nachdem er so lange an meiner Seite gewesen war, kratzte ich vorsichtig an meiner Fassade, nahm einen Stein aus der Mauer und ließ ihn zu mir ins Dunkle, wo er ein winziges Licht entzündete, damit ich nicht vor der Größe und Leere des Raumes erschrak.

Die Gestalten, die uns aus dem Dunklen mit ihren großen Kinderaugen beobachteten, bemerkten wir nicht.

Wir kauerten uns in eine Ecke und hielten einander fest – und es war warm – und es tat nicht weh.

Wir lebten eine Beziehung, die bei vielen nur Mitleid hervorrief. Sie behaupteten, wir wären nur zusammen, weil uns sonst keiner haben wollte. Natürlich hatten sie Recht. Wer wollte schon eine entstellte Bühnendarstellerin. Von einem Epileptiker ganz zu schweigen.

Uns war das egal. Wir fühlten uns miteinander wohl und hielten einander vertrauensvoll an den Händen.

Nach dem, was für mich im wahrsten Sinne des Wortes ein „Burnout“ war, genoss ich es nun, mich auf meinem schaukelnden Floß in der warmen Sonne zu aalen.

Philipp war für mich Außenborder und Anker zugleich und sorgte dafür, dass ich nicht allzu hohen

Wellen ausgesetzt war. Im Gegenzug begleitete ich ihn auf seinen Flügen durch die Nacht, und wenn er in den unendlichen Weiten seines Universums abzuheben drohte, nahm ich ihn in die Arme und versuchte ihm zu erklären, dass es nichts gäbe, vor dem er weglaufen müsse.

Es ging solange gut, bis sich Philipp eines Tages in ein Raumschiff setzte und sich damit ins All hinauskatapultierte. Er hatte mich natürlich gefragt, ob ich mitkommen wolle, aber trotz der Angst, allein zurückbleiben zu müssen, war die Angst vor den Unbekannten seines Universums größer.

Und so löschte ich das kleine Licht, das Philipp angezündet hatte, legte den Stein zurück in die Mauer und machte mich auf den Weg zurück in eine Welt, in der ich mir wieder eine passende Rolle erhoffte.

Strecke ich mich ins Gras,

versinke dann im tiefsten Blau des Universums,

fühle ich mich leicht

wie von einem Windhauch aufgelesen,

von ihm gehalten,

alle Gedanken vergessend,

geborgen und glücklich.

Doch nicht lange lassen Wolken auf sich warten,

frösteln lässt mich nun die Brise,

die mich eben noch geküsst,

nüchtern bin ich,

mit beiden Beinen auf der Erde,

barfuß,

um nicht im Morast des Lebens

meine Schuhe zu verlieren.

Er erinnerte sich noch genau daran, wie sich alle über dieses ungleiche Paar gewundert hatten.

Grete, seine damalige Freundin, hatte sich lautstark über die Beziehung der beiden lustig gemacht. Sie war damals ziemlich eifersüchtig auf Odette, weil sie wusste, wie sehr er an ihr gehangen hatte. Er hatte mitgelacht, auch wenn es ihm im Grunde unangenehm gewesen war, weil sowohl Odette als auch Piet mit am Tisch saßen und zuhörten. Mit Grete hatte es nicht lange gehalten. Wenn er ganz ehrlich war, gab es nur eine einzige, die es länger mit ihm ausgehalten hatte und das war Sarah.

Bis zum heutigen Tage ging er mit seinem 60 Watt Lächeln aus dem Haus, lernte die tollsten Frauen kennen. Sobald sein Strahlen unter die 25 Watt Marke sank, machten die sich wieder aus dem Staub.

In ihm wuchs ein Gefühl von Melancholie.

Er gab sich seiner betrübten Stimmung hin, schaltete das Licht aus und vergrub sich unter seiner Bettdecke. Er fragte sich, warum es immer nur so komische Labortrutschen waren wie Henriette, die sich dauerhaft um ihn kümmern wollten.

Montag, 22. April

Am nächsten Morgen wurde er vom Telefon geweckt. Schlaftrunken griff er danach und nuschelte seinen Namen. Anton war am Apparat. Ganz überraschend wäre er wegen eines Geschäftstermins in der Stadt. Er schlug vor, sich für den Abend zu verabreden. Carlo war einverstanden. Sie vereinbarten einen Treffpunkt und verabschiedeten sich.

Er fühlte sich frisch und ausgeruht. Die Melancholie vom Vorabend war vollständig verflogen. Wenn er an den gestrigen Tag dachte, lief er immer noch ein wenig rot an, war aber erleichtert, dass die Dinge sich nicht so schlecht entwickelt hatten, wie zuerst befürchtet.

Später würde er Henriette anrufen und ihr gehörig den Kopf waschen. Er würde ihr nicht gestehen, dass er kurz davor gewesen war, sie in dem Fall, den sie für ihn ersonnen hatte, um Hilfe zu bitten. Wahrscheinlich hatte sie den ganzen Abend frohlockend auf seinen Anruf gewartet.

Nicht auszudenken, wie sehr sie sich an seinem Elend ergötzt hätte.

Trotz allem konnte er nicht umhin, ihr einigen Respekt zu zollen, ja, ihr sogar eine gewisse Sympathie entgegen zu bringen.

Sie schien nicht annähernd so spröde zu sein, wie er vermutet hatte. Ihr Brief zeigte deutliche Spuren von Humor.

Aber wie hätte er davon auch wissen sollen? Er hatte sich ja stets davor gedrückt, sich mit ihr zu unterhalten.

Er sprang unter die Dusche und freute sich schon im Voraus auf ein deftiges Frühstück. Frisch rasiert, mit gewaschenem Haar, betrat er mit dem Gefühl, ein neuer Mensch zu sein, die Küche. Speck, Eier, Frühlingszwiebeln und Champignons brutzelten in der Pfanne, als es an der Tür klingelte.

Er ging an die Gegensprechanlage. Unten auf der Straße stand sein Kumpel Wirgo. Er betätigte den Summer, öffnete die Wohnungstür und ging in die Küche zurück, um die Eier zu wenden. Er setzte neuen Kaffee auf, stellte einen zweiten Teller und eine weitere Tasse auf den Tisch. Das Frühstück würde für beide reichen.

Wirgo betrat mit einem breiten Grinsen die Küche. „Du hast wohl gewusst, dass ich komme“, sagte er und legte ein kleines Briefchen neben seinen Teller. „Nachtisch“, sagte er und goss Milch in seinen Kaffee.

Wirgo war Architekt. Er hatte ein Büro in der Innenstadt und bediente die Schickeria Hannovers mit abgefahrenen, modernen Baustilen, die ihm so viel Geld in die Kasse brachten, dass er sich die Drogen, mit denen er angeblich seinen Verstand beflügelte, ohne weiteres leisten konnte.

In Wirklichkeit beflügelten ihn eher seine hochkarätigen Mitarbeiter, die regelmäßig für ihn in die Bresche sprangen, wenn er mal wieder bis in den späten Vormittag, langbeinige Blondinen abschleppte. Ganz offensichtlich hatte er bereits einen kleinen „Nachtisch" intus, denn er rutschte unruhig auf seinem Stuhl hin und her, stocherte ohne rechten Appetit in seinen gebratenen Eiern herum und stand hin und wieder auf, um sich seine Hände in der Spüle zu waschen. Wirgos Blicke schossen in der Küche herum, wie eine Flipperkugel, und seine innere Unruhe flatterte so laut in seinem Käfig, dass ein entspanntes Frühstück in weite Ferne rückte. So schob auch Carlo seinen Teller von sich und sagte: „O.k., her mit dem Nachtisch!"

Während er auf der Spiegelkachel, die er für solche Zwecke auf der Fensterbank bereit stehen hatte, das graue Pulver mit einer Rasierklinge bearbeitete, fiel ihm ein, dass er abends mit Anton verabredet war. Auf keinen Fall durfte er das verpassen.

Das Zeug aus dem Briefchen, war ganz offensichtlich nicht der Nachtisch, von dem Wirgo bereits genascht hatte. Piet kam ihm in den Sinn.

Piet, dessen Raumschiff bis zum heutigen Tage nicht gelandet war.

Er rollte den Zehner auf, den Wirgo ihm hinhielt und beugte sich zum Spiegel herab. „Der Countdown läuft“, dachte er, holte tief Luft und katapultierte das Pulver durch die Nasenschleimhäute in sein Hirn.

Augenblicklich wurde ihm warm. Es war überhaupt kein unangenehmes Gefühl. Er stand auf und ging hinüber ins Schlafzimmer. Er schaltete seinen CD Player ein, der leise begann, Jacques Loussier zu murmeln. Dann legte er sich aufs Bett. Wirgo, der ihm etwas später folgte, nahm er kaum noch war. Es gab nur noch ihn selbst und eine ungeheure Geborgenheit. Ein Gefühl, als wäre er endlich dort angekommen, wo er immer hinwollte: In der weiblichen Kontur, die ihm Halt geben konnte. Sie umhüllte ihn, während er aus dem Fenster sah. Er konnte sogar die Weichheit der Wolken spüren, die er am Himmel vorbeiziehen sah. Er fühlte wie die Spinne, die er auf seine Hand krabbeln ließ, seine Haut mit ihren langen Beinen zärtlich streichelte.

Er hatte sich selbst noch nie so intensiv empfunden. Seinen Erfahrungen zum Trotz war ihm klar, dass alles richtig war, genauso wie es jetzt war. Die unendliche Liebe zu seiner Umgebung war genauso groß wie die Liebe zu sich selbst. Er fühlte sich umhüllt von durchsichtiger Watte, die ihm den Blick auf die Welt nicht verwehrte, die ihn aber vor dem schützte, was ihn verletzte und Sorgen bereitete. Eine Welt, die ihn in ihr Gefüge sicher aufnahm, und ihm einen Platz als Teil des Ganzen zusicherte.

Er nahm wahr, wie sich Wirgo erhob und ins Badezimmer ging. Durch die geöffnete Tür sah er, wie sich dieser niederkniete und über der Kloschüssel erbrach. Auch Wirgo war ein Teil seines Glückes, Teil dieser Welt, es gab kein Schlecht, kein Böse, keinen scheußlichen Anblick. Er war angekommen im Paradies und ließ sich wahllos treiben.

Als er wieder erwachte, lag er eingekuschelt in die Bettdecke auf seinem Bett. Wirgo lag ganz ohne Decke neben ihm. Er lag auf dem Rücken, die Arme weit ausgestreckt und schnarchte laut. Carlo war erschöpft, aber das, was er fühlte, war alles andere als ein Kater. Er ging ins Bad, um erneut zu duschen. Es war noch eine Stunde Zeit, bis er sich mit Anton treffen wollte.

In der Küche beseitigte er die Reste vom kaiserlichen Frühstück.

Er wischte die Blutspritzer vom Küchenfußboden, die Wirgo hinterlassen hatte. Einwegspritze und Kanüle lagen noch auf dem Tisch. Daneben der schwarz angelaufene Teelöffel, der einen Rußfleck auf dem Tisch hinterließ, als er ihn hochnahm. Er fasste ihn hinten am Stiel an und achtete sorgsam darauf, seine frische Kleidung nicht damit einzusauen. Wirgos Gürtel lag neben dem Küchenstuhl auf dem Fußboden, das Designer Feuerzeug daneben.

Er stellte das dreckige Geschirr in die Maschine und schaltete sie an. Die medizinischen Hilfsmittel ließ er im Mülleimer verschwinden, bevor er die letzten Spuren des Vormittags mit einem Küchenlappen verwischte. Durstig trank er große Schlucke aus dem Hahn. Auf dem Weg in den Flur rief er in sein Schlafzimmer hinein, um Wirgo zu wecken, der kurz darauf zerknautscht in der Türöffnung erschien. „Hier“, sagte er, als er diesem seine Jacke zu warf, „ich muss los. Vergiss Deinen Gürtel und das Feuerzeug nicht. Liegen in der Küche.“ Ohne ein weiteres Wort gingen sie hintereinander her, die Treppe herunter. Auf der Straße trennten sie sich. Nach einem kurzen „Ciao“ ging jeder seiner Wege.

Als er im „Curly Ideas“ ankam, saß Anton bereits am Tresen und unterhielt sich mit einer Rothaarigen. Ihr dicker Hintern thronte elegant auf dem Barhocker. Gerade warf sie ihre roten Haare zurück und schüttete sich aus vor Lachen.

Henriette!!

Er hielt inne. In dem Moment, in dem er beschloss noch einmal umzukehren, um vor der Tür seine Vorgehensweise zu überdenken, erblickte ihn Anton und winkte ihn heran. Carlo zeigte in Richtung WC und signalisierte, dass er sich gleich zu ihnen gesellen würde.

„Das kann doch gar nicht wahr sein“, dachte er auf dem Weg zum Lokus. „Muss die denn ausgerechnet heute hier sein? Und dann kennen die sich auch noch.“ Er schloss die Tür zur Toilette hinter sich und begann darüber nachzugrübeln, mit welcher Begrüßung er am besten Punkten konnte, ohne sich eine Blöße zu geben. Sein Gehirn lief auf Hochtouren. Es dauerte eine Ewigkeit, aber dann hatte er allen Grund sich zu entspannen. Das war`s! Er öffnete die Tür und ging die Stufen hinauf zur Bar.

Mit seinem mehr als 60 Watt Grinsen ging er auf Anton und Henriette zu. Mit den Worten „Hi, Love" küsste er Henriette rechts und links auf die Wange, drehte sich um und hielt Anton seine Hand hin. Als dieser die Hand ergriff, hielt er dessen Hand fest und zog ihn von seinem Barhocker herunter. Dann nahm er ihn in den Arm und drückte ihn herzlich. „Schön dich zu sehen", sagte er und wandte sich wieder Henriette zu.

„Schätzgen, ich habe da draußen ein paar amüsante Trümmer hinterlassen, als ich mit Igor Harakaly zusammengestoßen bin. Vielleicht gibt's da ja noch etwas zu lachen. Ich sage dir dann Bescheid, wenn du mich nach Hause fahren kannst."

Grinsend antwortete sie: „Bin leider nicht allein hier. Heute Abend wirst Du wohl oder übel ein Taxi nehmen müssen." Damit ließ sie sich seitlich vom Barhocker gleiten und war kurz darauf in der Menge verschwunden. „Geiler Arsch!" bemerkte Anton, der ihr aufmerksam hinterher geschaut hatte. Irgendwie schien sich Carlo in allem zu täuschen, was Henriette betraf. „Stimmt", sagte er und bestellte die erste Flasche Rotwein des Abends. Es dauerte nicht mehr lange und das Gespräch drehte sich nicht länger um Henriette, sondern um Olga – Odette.

Anton war ganz heiß darauf, mehr von ihr zu erfahren. Er fragte, welchen ihrer Bekannten Carlo getroffen hatte.

„Theodor Torgonjowitsch? Sagt mir nichts. Was hat er denn erzählt?“ fragte er. „Er hat sie in Russland getroffen, sie dort aber aus den Augen verloren“, hielt Carlo sich bedeckt. „Großes Land“, antwortete Anton ein wenig enttäuscht darüber, dass es anscheinend doch nichts Neues von Olga zu hören gab und prostete Carlo zu. „Auf roten Wein und geile Ärsche!“

Auch er erhob sein Glas, nickte kurz in Antons Richtung, nahm einen Schluck und war froh, als dieser von ganz allein das Thema wechselte.

Sein Körper fühlte sich seltsam hohl an, und er hoffte, dass die Farbe des Weines auf ihn abfärben würde und auch seine Gedanken wieder zum Leuchten brachte.

Dienstag, 23. April

Als er am nächsten Morgen erwachte, leuchtete in seinem Zimmer nichts außer das Display seines Weckers. „Zeit aufzustehen! Es ist sechs Uhr dreißig!

Zeit aufzustehen! Es ist sechs Uhr dreißig! Dröhn! Dröhn! Dröhn! Halb im Delirium, wälzte er sich auf die Seite und drückte auf die Stopp Taste. Wieder wecken? Um nichts in der Welt.

Sein Kopf summte genau wie der Wecker. Er meinte sogar, einen leichten Tinnitus zu bemerken. In seinem Ohr pochte es im Rhythmus seines Herzens, ein Rauschen, das er bisher nie vernommen hatte.

Er dachte an die letzte Flasche, die sie in seiner Küche getrunken hatten und daran, dass es Anton nicht mehr ins Hotel geschafft hatte. Jener stöhnte von der anderen Seite des Bettes: „Schalte jetzt bloß nicht den Wecker aus. Ich muss joggen. Ich bin noch total breit und spätestens um 12.00 Uhr muss ich einen richtig klaren Kopf haben." Er setzte sich auf und fragte: „Wo ist die Dusche?"

„Da vorne", antwortete Carlo und nickte in Richtung Badezimmer. Dann schlief er wieder ein.

Auch wenn ihm die Zunge an diesem Morgen nicht nach dem Leben trachtete, fühlte er sich alles andere als lebendig. Noch immer pochte das Rauschen in seinem Ohr. Obwohl er sich noch einmal unter seiner Decke verkroch, war ihm klar, dass er nicht mehr würde schlafen können.

„Zu zweit nur drei Flaschen", versuchte er sich zu beruhigen, und freute sich darüber, dass er sich genau daran erinnern konnte, wie er bei Steven, dem Barkeeper, die Rechnung bezahlte. Es fiel ihm die Flasche ein, die sie in der Küche getrunken hatten. Vier! Ging auch noch.

Es war bereits 12.00 Uhr als er unter der Dusche stand und das Gefühl hatte, fast wieder nüchtern zu sein. Er dachte an Anton, der jetzt in seinem Meeting saß und war froh, dass er nicht in seiner Haut steckte. Bevor er gegangen war, hatte ihm Anton noch eine seiner Comicfiguren auf den Kalender gekritzelt. Einen etwas schäbig aussehenden Typen, der ganz offensichtlich Kopfschmerzen hatte. „Wie in alten Zeiten!" hatte er darunter geschrieben.

Grinsend kochte Carlo Kaffee und dachte an den pubertären, gestrigen Abend. So richtig schöne Männergespräche. Herrlich!! Er nahm die Tasse mit ins Schlafzimmer und widmete sich wieder Olga Varanski, die sich in dem gelben Schnellhefter auf seinem Nachtschrank verbarg.

Leistungssport und seine Folgen

In den Jahren, in denen ich meine Mauer hochzog und darum herum ein neues Leben gestaltete, das darauf ausgerichtet sein sollte, ausschließlich an der Oberfläche stattzufinden, wurde meinem winzigen Selbst klar, dass ich nicht vorhatte, es jemals wieder hinauszulassen. Auch wenn der Plan ursprünglich in beiderseitigem Einverständnis in die Tat umgesetzt worden war, entwickelte sich das Ergebnis in eine Richtung, die selbstzerstörerische Formen annahm. Mein Unterbewusstsein hatte die Strategie des Vergessens gewählt, um zu überleben. Alles begann jedoch darauf hinzudeuten, dass auch diese Strategie zum Untergang führen würde. Es wurde Zeit, auf sich aufmerksam zu machen und gemeinsam einen neuen Weg einzuschlagen.

Die vergessene Gestalt stand auf und begann, in den dunklen Gassen meiner Seele auf und ab zu wandern. Unermüdlich tigerte mein kleines Ich hin und her, bis es schließlich zu traben begann. Im Laufe der Jahre lief es einen Marathon nach dem anderen und entwickelte eine Ausdauer, mit der es beim „Iron Man" jegliche Widersacher vor Neid hätte erblassen lassen.

Ich registrierte das kleine Ding lediglich als wachsende innere Unruhe, die ich konsequent ignorierte.

Um mich abzulenken, begann ich mit „härteren Drogen" zu experimentieren. Natürlich nicht nur deswegen, sondern auch, weil es an der Oberfläche unglaublich wichtig war, cool zu sein.

Ich begann mich von meiner „Gesellschaftsfreien Zone“ zu distanzieren. Mein Körper wollte nicht mehr allein sein. Die Gesellschaft unterbreitete jede Menge Angebote, wie ich es gut mit ihr aushalten könnte. Und so begann es, dass sich das eine oder andere Pülverchen durch meine Nasenflügel hindurch wie ein Schleier auf meine Gehirnwindungen legte.

Ich kann nicht behaupten, dass mich die Wirkung umgehauen hätte, zumindest was Speed oder Kokain betrifft. Speed fühlte sich an als hätte ich in 10 Minuten drei Kannen Kaffee getrunken. Den Hype konnte ich also auch günstiger haben. Kokain hatte auf mich überhaupt keinen Effekt! Ob mit oder ohne…ich war sowieso immer die letzte auf der Tanzfläche. Ich schloss daraus, dass ich über ein angeborenes Kokain Depot verfügte, auf das mein Körper willkürlich zurückgreifen konnte. Das Geld konnte ich mir also auch sparen.

Von LSD ließ ich die Finger. Wenn ich an die Buschermann-Phantasien aus meiner Kindheit zurückdachte, war meine eigene Vorstellungskraft abgefahren genug. An einer Intensivierung von Horrorszenarien war ich bei meinem Background nicht interessiert!

Bei Heroin war das anders! Heroin war die größte und schönste Illusion eines Laubhaufens, die ich je hatte. Ich zerschmolz mit der Welt, wurde ein Teil des Ganzen und erstrahlte mit unvergleichlicher Schönheit über das gesamte Firmament. Endlich machte alles wieder Sinn.

Das Tolle an Heroin war, das es am nächsten Tag kein böses Erwachen gab. Man entgleiste nicht, man war die Harmonie in Perfektion, und das alles ganz ohne Kater. Ich war zurück in Mutter Erdens Schoß.

Die Verlockung war groß. Sie fühlte sich ja so unglaublich gut an, die Illusion.

Was mich rettete, war das ausgeprägte Misstrauen gegen alles was Erinnerungen an schöne Zeiten wachrief. Mein Lebenswille drohte mir mit dem, was auf Geborgenheit folgte und hatte damit Erfolg. Auch wenn es schwerfiel, ich ließ die Finger davon.

Ich blieb bei Gras, Alkohol und Rampenlicht und schaute Philipp von unten dabei zu, wie er mit seinem Raumschiff leuchtende Kunstwerke in den Nachthimmel malte.

Ich schwebe durch die Galaxis meiner Sinne.

Sie umgibt mich wie eine feuerrote Flüssigkeit,

die zugleich wie ein Vakuum ist.

Ich werde mitgerissen,

hilflos nach Antworten suchend.

Bin ich verbannt in die Wirren meines Ichs?

Wird sich die Macht, von der ich wie ein Molekül mitgerissen werde,

legen, beruhigen und als ein mit mir Ganzes enden?

Denn die Antworten sind in mir.

In dem Labyrinth meiner Seele,

in dem ich mich selbst gefangen halte,

und aus dem nur ich mich befreien kann.

„Fast schon ein bisschen unheimlich, dass mir das gerade jetzt ins Haus flattert“, dachte Carlo und wanderte mit seinen Gedanken zurück zum gestrigen Tag.

Sein Nacken verspannte sich langsam. Er hatte zu lange auf der Seite gelegen. Etwas steif nahm er das Kissen, schüttelte es auf, legte es dicht an die Wand und lehnte sich an.

Er griff nach der Wasserflasche, die neben seinem Bett stand, drehte ganz in Gedanken den Verschluss auf und nahm einen tiefen Schluck.

Nach und nach tauchten sie alle auf. Nun erschien sogar Philipp auf der Bildfläche, wie er seinen langjährigen Freund Piet in dem Buch getauft hatte, und der leider tatsächlich in den letzten Jahren kaum etwas anderes getan hatte, als mit Raumschiffen bunte Kreise in Nachthimmeln zu hinterlassen.

Nachdem er die Flasche wieder weggestellt hatte, griff er erneut nach dem gelben Ordner. Konzentriert blätterte er zu der Seite, die er mit einem Eselsohr markiert hatte. Lesezeichen konnte er nicht ausstehen.

Akademikerlaufbahn ade

In meiner Freizeit gab es chemische Produkte, mit denen ich mich intensiv auseinandersetzte, um endlich an die Oberfläche des Menschseins zu gelangen. Da war es kontraproduktiv, dass unser Chemielehrer versuchte, ein Interesse für Themen zu wecken, die in die Tiefe führen sollten. Er war mir sehr sympathisch, aber sein Anliegen gerade nicht aktuell.

Während er erklärte, dass es die Natur ohne chemische Prozesse nicht gäbe, wollte ich mir die Leichtigkeit, die mir das Leben in Zukunft bescheren würde, nicht davon vermasseln lassen, dass ich sie auseinandernahm und in Einzelteile zerlegte. Den mir beigefügten Beipackzettel kannte ich auswendig. Es ergab keinen Sinn egal, in wie viele Einzelteile ich ihn zerlegte.

Der Weg, den ich nun einschlagen wollte, setzte der endlosen Grübelei ein Ende und stellte jede Menge hübschen Hochglanz in Aussicht. Da konnte mich der Gedanke an Reaktionsketten von Atomen und Molekülen nur langweilen. Erst Jahrzehnte später sollte mir klar werden, dass Hormone, also chemische Prozesse, dazu beigetragen haben, die Logik in etwas zu suchen, was sich mir als abartiges Konstrukt präsentierte.

Drogen sollten mir dabei den Sauerstoff (O_2!!) besorgen, den ich dringend brauchte, wenn ich meine gesellschaftsfreie Zone gegen eine

Lebensoberfläche tauschte, die mir den Atem zu nehmen schien (CO_2!?).

Wäre mein Chemielehrer damals in der Lage gewesen, die chemische Brücke zwischen Psyche und hormonellem Lametta zu schlagen, ich wäre ihm um den Hals gefallen, statt in der hinteren Reihe „Schiffe versenken“ zu spielen. Die logischen Zusammenhänge dessen, was mir passierte, hätten sich mir bereits im jugendlichen Alter von 17 Jahren erschlossen. Ohne Kontext hingegen musste ich durch eine harte Schule, bis ich die Wucht einer nicht nur atomaren Verseuchung verstand. Hervorgebracht durch eine über Jahrtausendende hinweg seelisch kontaminierte Gattung, bei der man mit Gewalt etwas trennte, was unweigerlich zusammengehörte.

Mit dem neuen Thema: „Warum die Spaltung von Körper und Geist in Verbindung mit hormonellem Lametta zur Selbstzerstörung führt?“ hätte sich sein Fach sicher zu einem wahren Renner entwickelt. Ich kann mir sogar vorstellen, dass er Feuer und Flamme gewesen wäre, aber irgendwie war die Schulleitung, was neue Lehrpläne betraf, nicht besonders innovativ.

So hatte mein Geschichtslehrer seinen Unterricht vor 20 Jahren bereits bis ins Rentenalter vorbereitet.

Jedes Schuljahr hatte seine eigene Farbe. So war der Ordner für die fünfte Klasse gelb, für die sechste Klasse rot, die siebte Klasse blau, usw. Der darin enthaltene Unterrichtsstoff war mit

1. Unterrichtsstunde nach den Ferien, 2. Stunde nach den Ferien ….bis zum Ende durchnummeriert. Wenn man Glück hatte, fiel am Ende des Jahres der Unterricht aus, weil sich kein Stoff mehr in dem passenden Ordner befand. Hatte man Pech, war der Ordner gelb noch nicht abgearbeitet, und es klaffte eine Lücke im Lehrstoff, weil es ja nach den Ferien schon mit dem roten Ordner weiterging.

Aber das war in Ordnung.

Mit unserem Geschichtslehrer hatten wir jede Menge Spaß. An meiner Schule rar gesät. Mein größtes Problem war, dass die nettesten Lehrer die unmöglichsten Fächer unterrichteten. Herr Kerstien zum Beispiel, den ich später sogar zu meinem Tutor ernannte: Humorvoll, engagiert und mit einem ausgeprägten Sinn für Gerechtigkeit. Bei ihm hätte ich auf einer glatten eins gestanden, wenn er nicht MATHE unterrichtet hätte. So schrammelte ich jedes Jahr, mit sehr viel Wohlwollen seinerseits, an einer sechs vorbei. Es war mir schon klar, dass ich auf diese Weise weit davon entfernt war, ihm zu zeigen, wie toll ich seine Art zu Unterrichten fand. Aber bei Mathe war da leider überhaupt nichts zu machen.

Der einzige, bei dem es nahezu auf Anhieb klappte, war mein Deutschlehrer, Herr Sonnenwink.

Anfangs hatte ich gemault, weil noch immer Kafka und Büchner auf dem Lehrplan standen. Zwei Schriftsteller, die so langweilig waren, dass der

Deutschlehrer, der mich vor meiner Ehrenrunde unterrichtete, durch eine Flüstertüte sprach, um unser Schnarchen zu übertönen. Zu meiner Überraschung entpuppten sich Kafka und Büchner als richtige Wahl. Herr Sonnenwink und ich verstanden einander. Als ich zu seiner Klausur zu spät kam, weil ich verschlafen hatte, war sein einziger Kommentar: „Aber zum Abitur kommen Sie doch bitte pünktlich."

Ich bin mir sicher, dass mein Leben andere Wege genommen hätte, wenn Deutsch mein Leistungsfach gewesen wäre. Aber die Realität sah anders aus. Mein Prüfungsfach war Biologie und weil mich meine Lehrerin sehr liebhatte, würde das Thema Biochemie lauten. Ich war mir dabei sehr sicher!

Noch ein letztes Mal bot ich dem System, von dem ich mich unbewusst noch immer bedroht fühlte, die Stirn.

Ich erschien nicht zu spät zum Abitur, sondern gar nicht!!

Dann packte ich meine Koffer und begann mich zu desensibilisieren.

Ich knüpfte an die Zeit in Dänemark an. An meine Flucht nach vorn. Dafür zog ich in die Stadt. Hier lernte ich, wie gut es sich anfühlen konnte, mit dem Strom zu schwimmen.

Er legte den Ordner zur Seite und ging in die Küche, um sich noch einen Kaffee zu holen. Wage konnte er sich an die Gerüchte erinnern, die damals kursierten.

Als Odette nicht zur Prüfung erschien, obwohl man sie in der Schule schon gesehen hatte, wurde ein Suchtrupp losgeschickt, um überall im Gebäude nach ihr zu schauen. Sie war wie vom Erdboden verschwunden.

Man hatte die Polizei alarmiert, die in die Wohnung von Odette einbrach. Sie fand dort nur das Tagebuch, das angeblich davon zeugte, dass sich Odette in einer tiefen Depression befand. Nach einer ausgedehnten Suchaktion, entdeckte man sie schlafend auf einer Kuhweide. Rechts und links von ihr lagen, wie gute Freundinnen, zwei Kühe, die die Beamten wiederkäuend beobachteten und ihnen zu zurufen schienen: „Machen sie doch nicht so viel Lärm, sie sehen doch, dass die Kleine schläft."

So hatte ihm das Szenario sein Kumpel Stefan beschrieben, der bei der Polizei arbeitete und bei der Suche dabei gewesen war.

Von Depression war bei Odette allerdings nichts zu spüren. Als sie sie weckten, hatte sie sich zwar über die Uniformen erschrocken und darüber, dass sich alle so viel Sorgen um sie gemacht hatten. Den Rummel um ihre Person hielt sie für völlig überflüssig. Warum sich alle so aufregen mussten, nur weil man eine andere Entscheidung traf, war ihr schleierhaft.

Auf den Weg zu ihren Eltern, wo sie sie hinbrachten, hatte sie herumgeblödelt und sich darüber amüsiert, dass man dem, was ein junger Mensch in sein Tagebuch schrieb, so viel Bedeutung beimaß. Ihr Verhalten machte klar, dass sie nicht im Mindesten mit der Entscheidung haderte, die Schule einfach hingeschmissen zu haben. Sie sagte, dass sie sich lange nicht mehr so frei gefühlt habe, wie in diesem Augenblick.

Danach hatte Carlo sie aus den Augen verloren. Sie war genauso lautlos verschwunden wie sie in seinem Leben aufgetaucht war.

Er hatte sich wieder Kniften geschmiert und balancierte Kaffee und Brot zurück ins Schlafzimmer.

Er nahm den gelben Hefter und schlug ein weiteres Kapitel in Olgas Leben auf:

Die Apfelsine der Erkenntnis

Ich flüchtete nicht nur nach vorn, sondern auch vor der Hennersbecker Gerüchteküche. Mit dem Bus ging es erst nach Lyon, von dort aus weiter nach Spanien. Sevilla. Die berüchtigte Psychiatrie des „heiligen Hafens“ rückte in weite Ferne.

In Sevilla stürzte ich mich, mit dem Gefühl endlich frei zu sein, in das Nachtleben. Ein Trugschluss wie sich herausstellte. Spanisch sprach ich nicht, beherrschte aber eine Körpersprache, die es erlaubte, fließend mit Laubhaufen zu kommunizieren. Das war, was Kontakte betraf, ziemlich hilfreich. Die Prophezeiung, man würde mich schon nach wenigen Stunden ausrauben, entführen, betäuben und zur Prostitution zwingen, erfüllte sich nicht. Im Gegensatz zu den Daheimgebliebenen entwickelte ich eine überzeugende, internationale Neugierde auf sämtliche erogene Gebiete und mein finanzieller Hintergrund lud ganz offensichtlich nicht zum Überfallen, sondern eher zum Einladen ein.

Sevilla war für mich ein Eldorado neuer Eindrücke. Der Wortschatz meines Körpers erwies sich als Beschleuniger beim Erlernen der neuen Landessprache. Nach drei Monaten gelang es mir, mich so gut zu verständigen, dass ich meinen Unterhalt mit Nachhilfeunterricht in Deutsch und Englisch finanzieren konnte.

Im Rahmen meiner nächtlich kulturellen Spaziergänge durch die gut besuchten andalusischen Hinterhöfe hatte ich zwei Physikstudenten kennengelernt, die mich in die wahren spanischen Sitten und Gebräuche einweihten. Unser Fortbewegungsmittel bestand aus zwei relativ rostigen, dafür umso schnelleren Mofas. Nachdem man abstieg, vibrierte man noch eine halbe Stunde wie Papst Johannes Paul im fortgeschrittenen Stadium seiner Parkinsonerkrankung weiter.

Die beiden teilten meine Vorliebe für Zwiebeltürmchen. Sie erklärten mir die komplizierten Bauweisen und eröffneten mir die Quellen für jede Form von Baumaterial. Mit anderen Worten: Ich fing an ziemlich viel zu kiffen. Vor allem, weil es dazu beitrug, mich wach und bei klarem Verstand zu halten, während ich von einem Manzanilla zur anderen, von Bar zu Bar wanderte. Der Unterschied zu deutschem Dope war, dass man nicht nach spätestens drei Minuten bewegungslos in die Ecke sank und nur noch im Geiste zwischen den Noten der Hintergrundmusik flanierte. Man konnte auch noch nach einer durchzechten und durchtanzten Nacht, morgens um 5 Uhr im Gerippe des Stahlglobus auf einem Kinderspielplatz, sein Gegenüber im Schach abzocken. Mein Verstand lief auf Hochtouren. Tag und Nacht!!

Es war eine dieser betörenden, lauen, andalusischen Nächte, in der wir auf dem frisierten Mofa mit wehenden Haaren und 85 Sachen durch die Straßen kurvten und einen ziemlich unpopulären Weckdienst betrieben. Wir hatten Zwiebeltürme gebaut und wieder angezündet. Hatten beim Tanzen warme, weiche, feuchte Körper ertastet. Nach einer Nacht im puren reinen Glück in einer Wolke aus marokkanischem Nebel, saßen wir in unserem Globus auf dem Kinderspielplatz und ließen unsere Psyche noch ein wenig im Hamsterrad laufen. Schließlich waren wir ja nachtaktiv!! Im Morgengrauen rasselte noch immer der Atem meiner Gedanken. Auf dem Heimweg hob ich eine Orange auf, schälte sie und biss hinein.

Es war die Apfelsine der Erkenntnis!!

Ich lag zwei Tage und Nächte wach, hatte einen Puls von mindestens 210, war erleuchtet wie eine 900 Watt Halogen Straßenlaterne und erntete nichts als fragende Blicke. Dabei war Einstein ein Sonderschüler gegen die strahlenden Bolzen meiner Intelligenz!! Leider schien ich eine Mischung aus Japanisch, Hindu und Suaheli zu sprechen – niemand verstand ein Wort!

Ich fühlte mich wie Jesus, der auf dem Weg in den Himmel im Fahrstuhl stecken geblieben war – klaustrophobisch!

Und als ich schließlich zitternd in der Ecke der Metallkabine saß und gerade von meiner Höhenangst in eine Achterbahn gesetzt wurde, erschien eine runzlige Alte mit langen, grauen Dreadlocks. Sie nahm mir die Erkenntnis wieder weg. Ich landete ziemlich unsanft. Während ich noch benommen am Boden kniete, schlich sie sich von hinten an und entfernte mir das Rückenmark. Die Antwort auf meinen entsetzten Blick waren eine Handvoll Stammzellen, die sie mir ohne zu fragen implantierte – in wenigen Sekunden und ganz ohne Vollnarkose!!

Für die darauffolgende Chemo suchte sie das mikroskopisch kleine Etwas in meinem Inneren auf und überreichte ihm einem Joystick, mit dem es meine Ängste regulieren konnte. Sie verschwand so schnell wie sie aufgetaucht war.

Wir würden das Kind schon schaukeln – die hochtrainierte Nervensäge und ich.

Vorläufig war jedoch der Winzling, der sich hinter meinen Mauern in dunklen Hallen die Hacken ablief, mit den Werkzeugen der modernen Technik überfordert.

Die kleine Dauerläuferin konnte sich davon, was sich die Greisin bei diesem technischen Accessoire gedacht hatte, keine Vorstellung machen. Sie legte es erst einmal wieder beiseite.

Im Moment wurde das Instrument der Angst nicht gebraucht. Nach all den Geistesblitzen und chirurgischen Eingriffen, hielt ich mich brav an die Auflagen meiner Chemotherapie. Mein Körper hatte gar nicht die Kraft, einen Joint zu drehen, geschweige denn den Korken aus einer Flasche Rotwein zu ziehen. Ich ernährte mich von Naturjoghurt und Lindenblütentee - der verlängerte Arm von Mutter Natur versauerte unangetastet in der Requisite.

Da ich mich so rührend um mich selbst bemühte, dauerte es nicht lange, bis ich wieder zu Kräften kam. Nach nur 5 Wochen Regenerationszeit bewarb ich mich wieder um eine Hauptrolle. Das Stück hieß: „In einem Weinfass nach Marokko“. Die Chancen standen gut, die Rolle war mir wie auf den Leib geschrieben.

Ein Aufschrei der Empörung ging durch den Äther, und die kleine Marathonläuferin wurde umgehend zu einem Computer Crashkurs angemeldet. Schüchtern lernte sie mit der Requisite umzugehen und verpasste mir mit dem „Joystick“ die ersten Panikattacken. „Es ist doch nur zu ihrem Besten“, sagte die alte, weise Frau aus der höheren Instanz, „nur nicht so zaghaft“!

Always wonder what is wrong with me
lying awake till late at night.
My heart seems to be a battlefield
my thoughts are wild, like in a fight.
Sensibility and feelings
are making war,
they make my heart beat.
Their yelling noises make me sweat,
increase my fear.

There is a whirlpool in my brain

Bringing the letters out of order

There is a whirlpool in my brain

Making words without a sense

I open up my eyes
Trying to reach reality
But it´s too late
I´m too mixed up
Can´t stop my heartbeats rapidity
Like drowning in a lake of sighs
I´m sinking down into this trip
I start my flight
Into the galaxy of my senses

Don´t want to lose my mind

In the whirlpool of my brain

Die Erinnerung daran, dass Odette für eine Weile nach Spanien gegangen war, kam langsam zurück. Sarah hatte sich noch lange mit ihr geschrieben und wilde Geschichten vom spanischen Nachtleben erzählte.

Er musste an Sarah denken, die einzige Frau, die es länger als drei Monate mit ihm ausgehalten hatte. Sie waren fast vier Jahre zusammen gewesen, aber das, lange Zeit nachdem sie sich kennengelernt hatten. Sie hatte ihn begleitet, als er mit „How to Dorf" seine ersten Erfolge feierte, seine Lesungen geplant, und überall in Deutschland für ihn organisiert. Leider war sie auch immer für kleine Überraschungen gut. Und so hatte sie ihn, als er ohne sie für ein Lesungswochenende nach Berlin gefahren war, mit Charlene im Bett erwischt. Einem gerade mal 17-jährigen „Groupie", mit dem er, nach einer wilden Nacht in den Berliner Clubs, völlig betrunken, abgestürzt war. Die Situation war so eindeutig, dass es sinnlos gewesen wäre, sich da heraus reden zu wollen.

Seit sie sich von ihm getrennt hatte, hatte er nicht nur die Lesungen, sondern auch das Kunststudium schleifen lassen.

Weil es lukrativ war, hatte er begonnen im Messebau zu arbeiten. Viel musste er nicht dazu verdienen. Er hatte das Glück gehabt, dass ihm seine geliebte Tante Ella, im Herzen Hannovers eine Altbauwohnung hinterlassen hatte, nachdem sie jahrelang gemeinsam durch die Kneipen getingelt waren. Das war mit viel Spaß verbunden gewesen. In seinem Freundeskreis hatte sie hohes Ansehen genossen.

Sie war überhaupt keine typische Vertreterin ihrer Generation. Sie redete offen über das Grauen des zweiten Weltkrieges, ihre Erinnerungen an Hannover im Bombenhagel, in dem ihr Bruder Erich zur Welt gekommen war. Einen Tag bevor das Haus zerstört wurde. Ihr Verstand war rege. Sie diskutierte sachlich, jedoch auch gewürzt mit Zynismus und Ironie, wenn das Gegenüber auf einem Standpunkt beharrte, den sie bereits mehrfach entkräftet zu haben meinte. Gesprächspartner waren meist chancenlos, wenn es darum ging, sie argumentativ in die Knie zu zwingen. Manche Unterhaltung war spannender als ein Thriller. Es wurde rhetorisch scharf geschossen, was zuweilen schmerzhafter war, als die Kugel aus einer Pistole. Auch wenn sie das letzte Jahre ihres Lebens im Rollstuhl saß und von ihm abhängig gewesen war, wenn es um die Gestaltung ihres Lebens ging, hatte er immer das Gefühl gehabt, dass er mehr von ihr profitierte als sie von ihm. Sie war bis zum Schluss Richtung weisend für ihn gewesen. Im Grunde bestimmte sie, wo ihrer beiden Leben hinführte.

Nach ihrem Tod hatte Sarah ihn aufgefangen und auch die Richtung weisende Rolle übernommen.

Er dachte an Odette. Mit ihr und ihm hätte es gar nichts werden können. Sie war kein „Kümmerer“ gewesen. Frei hatte sie immer gewirkt. Ganz allein war sie in den spanischen Süden geflogen. Ohne die Sprachen zu sprechen und ohne eine Seele zu kennen. Nektar gab es für sie überall. Als sie aus Spanien zurückkehrte, sah man sie hin und wieder auf Partys.

Sie gehörte keiner Clique an, war aber in jeder der unterschiedlichsten Gruppen immer mal wieder anzutreffen. Irgendwie ließ sie sich nicht in eine Schublade packen. Vielleicht war es das, was nicht nur ihn verunsicherte. Versuchte man sie zu greifen, schlüpfte sie einem durch sie Finger wie ein Stück Seife. In ihre Nähe kam man nur, wenn sie sich betrank. Dann war sie alles andere, als die unnahbare Person, als die man sie sonst kannte. Eine feste Beziehung hatte sie seit Piet nicht mehr gehabt, soviel er wusste.

Er begann sich zu fragen, ob sie in Beziehung zu der Person stand, die diesen Text geschrieben hatte? Oder war sie es tatsächlich selbst und Theodor hatte die Zeilen lediglich weitergeleitet? Es gab doch einige Punkte, die ziemlich genau zu Odette passten. Auf jeden Fall, was ihren Lebenslauf betraf. Wusste sie von der Post an Carlo? War es tatsächlich ihre Sichtweise auf ihr Leben? Was war die treibende Kraft? Ein Psychopath, der versuchte, ihn mit Hilfe seines Buches zu stalken? Viele Fragen, auf die er keine Antwort hatte.

Er schaute aus dem Fenster und beobachtete die Spatzen, die auf seiner Fensterbank saßen und davon profitieren, dass es sich bei seinen Fenstern um eine

Einfachverglasung handelte. Wenn er an seine Heizkostenabrechnung dachte, wurde ihm ein wenig mulmig.

Das Telefon riss ihn aus seinen Gedanken. Es war Henriette. Dieses Mal war er überhaupt nicht davon genervt, ihre Stimme zu hören. Er freute sich sogar.

„Gaby hat mich gerade angerufen. Sie hat noch so viele Reste von der Party, die keinen Platz in ihrer Tiefkühltruhe finden und schnell gegessen werden müssen. Sie lädt uns zum Essen ein. Soll ich Dich abholen?"

Er schaute auf die Uhr: 16.30 Uhr

„Gerne", antwortete er, „Wie wäre es in einer Stunde? Ist das o.k.? Dann sind wir so gegen 18.00 Uhr bei Gaby und Henning."

„Das kriege ich hin. Ich klingele kurz, du kannst dann ja ´runterkommen". Irgendwie enttäuschte es ihn, dass sie nicht zu ihm in die Wohnung kommen würde.

Fröhlich schubste er die Bettdecke zur Seite und spazierte ins Badezimmer, wo er sich dem kompletten Beautyprogramm unterwarf.

Er ging sogar soweit, das Bügeleisen aus dem Schrank zu holen und auf dem Küchentisch ein Hemd zu bügeln. Sein Lieblingshemd: Es war leuchtend weiß und erst wenn es in der Sonne reflektierte, sah man die vielen Kornblumen, die es zierten. Es war noch warm als er es sich überzog. Die oberen vier Knöpfe ließ er offen. Jetzt fehlte nur noch ein wenig „Flott“ für die Haare.

Als Henriette an der Tür schellte, schlüpfte er in seine Jacke. Er rannte förmlich die Treppe hinab. Als seine Wohnungstür ins Schloss fiel, war er fast schon ein ganzes Stockwerk tiefer. Halbparterre hielt er kurz inne, um seinen Atem wieder ein wenig zu beruhigen. Gelassen schritt er durch die Haustür und ging über den Bürger- steig zu Henriettes Auto, das mit laufendem Motor auf der Straße stand.

Er beugte sich herab und lächelte ihr kurz zu. Dann öffnete er die Beifahrertür und stieg ein.

Als er sich zu ihr herüberbeugte, um sie zur Begrüßung auf die Wange zu küssen, schaute sie ihn mit einem skeptischen Blick an.

„Wer hat dich denn heute gepudert“, fragte sie ihn, als sie losfuhr, „Du riechst ja als würde ich Dich gleich zum Bewerbungsgespräch bei Douglas absetzen müssen. Spar dir das. So Typen wie Du, die beim Duschen normalerweise absichtlich die Achselhöhle auslassen, weil sie denken, dass männlicher Schweißgeruch Frauen antörnt, haben bei Douglas keine große Chance, die Probezeit zu überstehen.“

„Ich habe aus meinen Fehlern gelernt. Schweißgeruch scheint ja bei Gaby letztes Mal nicht so gut angekommen zu sein. Ich wollte heute Abend mal testen, ob sie sich anfummeln lässt, wenn ich mich ein wenig kultiviere.

Falls es mit Gaby nicht klappt, kann ich ja eruieren, ob Henning eine homosexuelle Seite verbirgt. Mein Aufzug ist doch für beide Vorhaben mehr als überzeugend, findest du nicht?" antwortete er mit einem Grinsen.

„Auf jeden Fall muss ich mir heute Abend keine Sorgen machen, für den Fall, dass du beschließt, wieder im Bushäuschen zu übernachten. Bei deinem Geruch kann ich dir garantieren, dass du morgen früh im Warmen aufwachen wirst, frotzelte sie zurück.

Später saß sie ihm am Tisch gegenüber. Er bemerkte zum ersten Mal ihre Grübchen, die von Sommersprossen umtanzt, das Leuchten ihrer grünen Augen unterstrichen. Warum war ihm bisher noch nie aufgefallen, dass ihre makellose Haut aussah, wie königliches, dänisches Porzellan. Als sie sich erhob, um mit Gaby die Teller abzuräumen, schaute er ihr hinterher und dann sah er ganz deutlich, wovor er in der Vergangenheit die Augen fest verschlossen hatte: ihr Po war die perfekte, wohl proportionierte Krönung ihrer endlos langen Beine. Er plante, am nächsten Morgen ohne überflüssige Kleidung neben ihr aufzuwachen.

Für ihn völlig unerwartet, verabschiedete sie sich jedoch bereits gegen 21.00 Uhr.

Gaby musste gewusst haben, dass sie früher gehen würde und begleitete Henriette zur Tür. Im Hinausgehen drehte sie sich noch einmal um, zwinkerte ihm zu und sagte zu Gaby: „Gebt ihm nicht mehr so viel zu trinken, sonst landet er wieder im Bushäuschen. Falls er jedoch, wie üblich, die zwei Promille Grenze überschreiten sollte, würde ihm für seinen Heimweg, heute Abend, etwas Vaseline sicherlich nicht schaden", zu im gewandt, „nicht wahr, Schätzgen?"

Bevor er irgendetwas antworten konnte, war sie zur Tür hinaus.

Auch wenn es ihn enttäuschte, dass er die Nacht allein würde verbringen müssen, frohlockte er insgeheim. Denn war es nicht ganz offensichtlich, dass sie mit ihm flirtete?

Weit unter der zwei Promille Grenze, machte er sich gegen 23.00 Uhr auf den Heimweg. Lächelnd ging er am Bushäuschen vorbei. Unwillkürlich dachte er an seinen Schließmuskel, der sich automatisch zusammenzog.

Zu Hause angekommen, öffnete er noch eine Flasche Rotwein, die er samt Burgunderglas, mit ans Bett nahm. Dann kümmerte er sich um die zweite Frau, die es zurzeit in seinem Leben gab: Olga.

„Gibt Schlimmeres als zwei Frauen gleichzeitig", dachte er und begann nach dem Eselsohr zu suchen.

Krieg

Die nächsten 15 Jahre waren für mich geprägt von Herzrasen, Schlaflosigkeit, Klaustrophobie, Panikattacken und Todesängsten. Das Kind, das sich seit seinem fünften Lebensjahr darum bemüht hatte, vergessen zu werden, entwickelte nun einen überraschenden Ehrgeiz darin wieder aufzutauchen.

Es begann ein harter Kampf, in dem ich lernte Nebenrollen zu spielen und meine Selbstverstümmelung zu mäßigen. Auch wenn sich alles in mir sträubte, musste ich im Laufe der Zeit feststellen, dass „Aufstehen – Mund abwischen – Weitermachen“ nicht mehr funktionierte, ging es darum, es mit dem kleinen Mädchen hinter der Fassade „gut zu meinen“. Mit dem Mut der Verzweiflung bediente es das Instrument, mit dem es sich Gehör verschaffen konnte.

Diese Zusammenhänge wurden mir erst sehr viel später bewusst. Auch dass mir gerade der Krieg erklärt worden war, ging völlig an mir vorüber. Ein kalter Krieg, bei dem mir oft genug so heiß werden würde, dass mir der Schweiß ausbrach. Noch immer gab es in meinem Bewusstsein weder Mikroorganismen noch multiple Persönlichkeiten.

Auch wenn mein Leben kein Zuckerschlecken war, fühlte ich mich in der Gestalt einer Existenz wohler, die den Blick auf meine traumatischen Erlebnisse verschleierte. Der Gedanke an eine Figur, die vorhatte mich aus meinem verkorksen Leben in ein Gruselkabinett zu verfrachten, behagte mir in keiner Weise.

Die Ursache unserer Auseinandersetzung wurzelte in unserer jeweiligen Überlebensstrategie. Mit derselben Hartnäckigkeit, mit der ich meine Bühnenauftritte wieder aufnehmen wollte, strebte die Dauerläuferin ihre Freiheit an. Zwei Dickköpfe prallten aufeinander. Beide mit dem Ziel, sich auf gar keinen Fall unterkriegen zu lassen.

Die kleine Nervensäge wartete mit gleich mehreren strategischen Vorteilen auf: Durch die geringe Größe war sie mit dem ausgestattet, was man als Napoleon Komplex bezeichnet. Sie war also so etwas wie ein Terrier – ein Hackenbeißer! Nicht zu vernachlässigen war, dass die alte Frau mit der komischen Frisur sie mit hochmoderner Waffentechnik ausgestattet hatte.

Erschwerend kam für mich dazu, dass sich, seit des massiven, chirurgischen Eingriffes, mein Immunsystem mit Stammzellen abmühen musste, die alles dafür taten, mein schauspielerisches Können zu sabotieren. Stetig legten sie mir Steine in den Weg, wenn ich mich um neue Engagements bemühte.

Es war wie ein in meinem Organismus agierender Secret Service, der perfekt mit der chemotherapeutischen Waffentechnik harmonisierte und alles auf den Kopf stellte, was ich mir in den letzten Jahren so mühsam aufgebaut hatte. Jeden strahlenden Auftritt meinerseits, den ich mir hart mit jeder Menge Wein, Grappa und mindestens einer Packung Zigaretten erarbeitete, quittierte mein Körper mit Strahlentherapie und einer deftigen Chemo. Chemo mit allen Schikanen und Nebenwirkungen! In dieser Zeit erbrach ich mich oft, hatte rasende Kopfschmerzen und Ringe unter den Augen, die aussahen, als wären sie mit einer chronischen Bindehautentzündung verheiratet.

Die erste Panikattacke war der Auftakt zu vielen weiteren Versuchen, meine Schauspielkarriere zu korrumpieren.

Am Anfang brachte mich das bisschen Angst nur peripher aus dem Gleichgewicht. Ich führte mein Befinden auf das spanische Klima mit hohen Temperaturen und viel Luftfeuchtigkeit zurück. Es war doch logisch, dass man bei 40 Grad im Schatten und einem überfüllten Bus auch mal so etwas wie Platzangst kriegen konnte. Völlig normal, dass man kurz vor einer Ohnmacht stand und panisch das städtische Fortbewegungsmittel verlassen musste.

Schuld war der Kreislauf!

Es war der Beginn einer Angst, die mir mit offenen Augen begegnete. Hatte der Alkohol mir anfangs meine Albträume genommen, mich zärtlich in den Armen gehalten und mir meinen Schlaf zurückgegeben, begann ich im Laufe der Jahre paradox auf meine Überdosen zu reagieren.

Mein Unterbewusstsein erschuf einen Beipackzettel mit chemotherapeutischen Nebenwirkungen im unbegrenzten Ausmaß. Auch meine Rückkehr nach Deutschland änderte nichts an dieser Tatsache. Meine Angst war multi-kulti. Sie hatte keine Hemmungen, mit mir zusammen in den Flieger zu steigen und in meine Heimat umzusiedeln. Bei ihren Beziehungen zu den höheren Sphären flog sie wahrscheinlich sogar erster Klasse!

Natürlich nicht, ohne der Stewardess hin und wieder einen Schweißausbruch für mich mitzugeben.

Mein Zustand verschlimmerte sich. Phasen, in denen ich mich erholen konnte, gab es kaum. Zur Ruhe kam ich erst, wenn der Wecker klingelte und es an der Zeit war aufzustehen. Gequält schleppte ich mich durch den Tag. An guten Tagen war ich so erschöpft, dass sich sogar mein Herzschlag auf einer normalen Frequenz einpendelte, statt wie gewohnt hysterisch zu hasten.

So wie es aussah, blieb mir nichts Anderes übrig als Wege zu finden, auf denen ich meine höhere Herzfrequenz und meine unkontrollierbare Unruhe in mein Leben integrieren konnte. Von niemandem außer mir bemerkt – wohlgemerkt.

Und so wirkte ich nach außen fröhlich, wild, unermüdlich – jeder hätte mich als „pulsierend“ beschrieben und nicht gewusst, wie nahe er damit der Wahrheit kam.

Ich erinnere mich an klaustrophobische Attacken im ICE, während derer mein panischer Blick über die Kasseler Berge schweifte. In solchen Momenten versuchten meine Gedanken, die Vorstellung davon zu vertreiben, wie man mir auf der Talbrücke in schwindelnder Höhe eine Zwangsjacke überstreifte, nachdem ich bei Tempo 250 in einem Tunnel die Notbremse gezogen hatte. Mein Puls raste genau wie der ICE. Mit einem Unterschied: mir perlte der Schweiß von der Stirn.

In solchen Augenblicken spielte mir meine gute, schauspielerische Ausbildung in die Hände. Nach außen hin wirkte ich völlig gelassen. Ich tupfte mein Gesicht ab, schloss die Augen und konzentrierte mich auf meine Atmung.

„Sie schläft“, dürften meine Mitreisenden gedacht haben, „Jetzt nur nicht hyperventilieren - Einatmen - Ausatmen - immer schön durch die Nase!“ dachte ich.

Nur noch 1,5 Stunden bis zum Frankfurter Hauptbahnhof. Kein Grund, die Nerven zu verlieren.

Ich war nirgends mehr sicher. Auch die gesellschaftsfreie Zone stand nicht mehr als Rückzugsort zur Verfügung. Die Angst überfiel mich, egal wo ich mich befand, und es blieb mir nichts als durchzuhalten und zu hoffen, dass niemand mitbekam wie es um mich stand. Es gab Zeiten, in denen allein der Gedanke an eine Panikattacke reichte, um einen herrlichen Herbstspaziergang in die Kulisse eines Horrorfilms zu verwandeln.

Missverständnisse

Weil sich die Angstzustände mittlerweile proportional zu meinem Maß an Drogenkonsum verhielten, fing ich an zu erahnen, dass da neuerdings ein Zusammenhang bestehen musste. Meine Verdrängungsmechanismen begannen zu erlahmen.

Auch wenn ich das Rampenlicht vermisste und potentielle Laubhaufen in weite Ferne rückten, um meiner Unsicherheit wieder Platz zu machen, beschloss ich, das Kiffen an den Nagel zu hängen und deutlich weniger zu trinken.

Weil mich die Rolle mit meinen Eltern Rommee zu spielen, überhaupt nicht reizte, bot ich an, an den Wochenenden den Chauffeur zu spielen. Sofort erfreute ich mich im Freundeskreis großer Beliebtheit. Die kriegerische Hochleistungssportlerin, dessen Wohnort mittlerweile einem Hochsicherheitstrakt immer ähnlicher wurde, überschlug sich förmlich ob der ersten gewonnenen Schlacht.

Das hatte zur Folge, dass sich auch ohne Alkoholmissbrauch, eine innere Unruhe einstellte. Dieser Zustand konnte sich zu einer ausgeprägten Unzufriedenheit steigern und mir völlig unvorbereitet ein saftiges Herzrasen verpassen.

Aus heiterem Himmel: am Kühlregal im Supermarkt, direkt vor Sahnehering, Graved Lachs und Meerrettichsoße! Schon damals war ich mir ziemlich sicher, dass in keinem der Drei die Ursache lag. Nachdem das Herz auch bei TK Pizza noch nicht zur Ruhe gekommen war und sogar bei Klopapier noch ein paar Takte schneller schlug, gab ich auf. Ich ließ den Einkaufswagen stehen und ging zum Arzt.

Das erste Mal in meinem Leben beschloss ich, mich jemandem anzuvertrauen und Hilfe zu suchen.

Leider hatte mein Hausarzt, ein Schulmediziner, der auch schon damals alternativen Heilmethoden eine Daseinsberechtigung zubilligte, seinen freien Tag, und ich musste einen Kollegen konsultieren, dessen Praxis nur wenige Straßen entfernt lag. Auch der war mir, in einer Kleinstadt kaum zu vermeiden, sehr gut bekannt.

Ich erklärte ihm den Grund meines Besuches. Er gab mir einen Rat, der mich auf Anhieb weiterbrachte: „Nun reiß´ Dich doch, verdammt noch mal, zusammen!" Es war also nichts Neues. Wie üblich passte ich nicht in das System. Voller Vertrauen erzählte ich ihm, dass mir Kontrolle bisher immer leichtgefallen sei. Leider würde mir Selbstkontrolle in der letzten Zeit zunehmend schwerer fallen.

Bereitwillig leistete er Abhilfe. Er zog ein Medikament auf und spritzte mir ein „Depot", das ich an jedem Dienstag bei ihm auffrischen sollte. Es würde mich entspannen, war alles, was er sonst noch dazu zu sagen hatte. Euphorisch verließ ich seine Praxis: Entspannt würde es mir sicher viel besser gelingen, mich zusammenzureißen.

Von Psychopharmaka war nicht die Rede. Damit auch nicht von Nebenwirkungen in Zusammenhang mit Alkohol. Und sei es nur eine Weinschorle Tage später.

Ich fiel am Wochenende ziemlich aus den Wolken, als die Wirkung meiner dünnen Weinschorle, die ich mir als Fahrer meinte gönnen zu dürfen, eher drei doppelten Whisky entsprach und dazu führte, dass ich mir ein Auge zuhalten musste, um beim Autofahren die richtige Fahrspur zu treffen.

Ich war mir keiner Schuld bewusst und absolut sicher, dass ich jede Alkoholkontrolle ohne weiteres passieren würde. Auf die Frage, ob ich etwas getrunken hätte, würde ich wahrheitsgemäß lallen: “Eine dünne Weinschorle.“ Das Depot hatte ich völlig vergessen und brachte es auch überhaupt nicht mit meinem Zustand in Verbindung.

Ob der Arzt mir absichtlich die heftige Wirkung in Verbindung mit Alkohol verschwieg, um mir „einen kleinen Schrecken“ einzujagen und mich von weiterem Alkoholkonsum abzuhalten oder ob es sich lediglich um grobe Fahrlässigkeit handelte, weiß ich nicht.

Auf jeden Fall ging sein kleines Experiment mit unserem Leben gut aus. Ich brachte meine Mitfahrer heil nach Hause! Erleichtert darüber, dass wir gut angekommen waren, hatte ich davon abgesehen, meine

Fahrt in diesem Zustand fortzusetzen. Ich holte mir eine Decke und übernachtete Vorort auf der Couch.

Doch auch wenn der Vorabend ein gutes Ende genommen hatte, begann für mich am nächsten Morgen ein absoluter Horrortrip. Um sechs Uhr erwachte ich voller Panik und stellte fest, dass ich einem netten kleinen Cocktail aus Herzrasen, Todesangst und Klaustrophobie ausgesetzt war. Ähnlich, wie bei der etwas übertriebenen Wirkung meiner Weinschorle am Abend zuvor, war mir die Ursache völlig schleierhaft!

Nun saß ich total verunsichert auf dem Sofa und wollte nur noch eines: nicht hier, sondern bei Muttern sterben!! Das, was sich meines Körpers bemächtigt hatte, war kein Zittern. Es war ein schweres Schütteln.

Fluchtartig verließ ich die gastfreundlichen Mauern und setzte mich in mein Auto. Nach einigen Versuchen gelang es meinem spastisch zuckenden Armen, das Steuerrad zu ergreifen und sich daran festzuhalten. Ich startete den Wagen und hoffte, nicht am Heimweg zu scheitern, um am nächsten Tag in einer Gummizelle aufzuwachen. Ich würde meine letzte Kraft aufwenden, um zu verhindern, dass man mich wieder wegsperrte. Bereits während ich das Fenster ganz herunter drehte, begann ich mich auf meine Atmung zu konzentrieren. Es war hoffnungslos. Das Herz riss sich förmlich von mir los und galoppierte vor mir und dem Auto her, die Straße entlang. „Wenn es jetzt eine Vollbremsung macht, ist es platt!“, dachte ich nur.

Ich brauchte mir diesbezüglich keine Sorgen zu machen, denn bei dem Tempo, das es einschlug, hatte ich Schwierigkeiten mitzuhalten und es nicht aus den Augen zu verlieren. Kaum zu Hause, rannte es kreuz und quer durch den Garten. Mein Vater führte mich am Arm hinterher, nachdem er einen Krankenwagen gerufen hatte!

Dabei war alles nur ein Missverständnis! Die kleine Freiheitskämpferin unterstellte mir, die Nummer mit dem Depot sei der Versuch gewesen sie auszutricksen, und nun schäumte sie vor Wut!!

Unkontrolliert betätigte sie das irdische Werkzeug und schleuderte mir das gesamte Panikprogramm entgegen.

Der Notarzt kam und verpasste uns eine gehörige Portion Valium. Meine hysterische Untermieterin kapitulierte und fiel in einen unruhigen Schlaf.

Auch wenn sie mich vorübergehend mit Attacken verschonte, ließ sich mein Herz trotz Dröhnung nicht beruhigen. So lag ich tagelang in einem Dämmerzustand, der keinen richtigen Schlaf zuließ. Das Herzrasen dauerte 78 Stunden und ließ erst von mir ab, als ich damit drohte, mich im Apfelbaum aufzuhängen. Dann folgte ein Waffenstillstand, und ich fiel in ein hart verdientes Schlafkoma, aus dem ich erst anderthalb Tage später erwachte. Ich fühlte mich noch immer wie gerädert!

Immerhin wusste ich jetzt, was gewesen war. Der Notarzt hatte mich über „Depots“ aufgeklärt.

„(Tut mir leid, Hilmar, dass Du damals auf Deinen Depots sitzen geblieben bist. Ich bin mir sicher, Du hast es gut gemeint. Aber vielleicht hast Du ja jemand anderen gefunden, dem Du beim Zusammenreißen behilflich sein konntest.)“

Ich balanciere auf dem Grat meiner Zweifel.

Mal recht sicher,

dann schwankend,

mich an die kargen Felsen klammernd,

um nicht von meiner Angst in die Tiefe gezogen zu werden,

hilflos rudernd in den Abgrund zu stürzen.

Er meinte, sich an den Abend erinnern zu können oder vielmehr an den Tag darauf.

Odette hatte auf dem Schlafsofa im Wohnzimmer der WG übernachtet, nachdem sie die Jungs aus dem Schalimar nach Hause gefahren hatte. Gegen 6.00 Uhr morgens verließ sie, für niemanden nachvollziehbar, panisch das Haus. Die anderen und er saßen noch in der Küche, hatten aus einer Orangensaftflasche aus PVC eine Wasserpfeife gebaut und zogen abwechselnd Korken aus Weinflaschen und fette Joints durch. Betrunken wie sie waren, hatten sie versucht, sie zu einem Frühstück zu überreden, in der Hoffnung, dass sie für die versammelte Mannschaft ihr legendäres Omelett Odette zaubern würde. Sie hatte sie lediglich mit einem Blick bedacht, als wären sie ein Haufen Aussätziger. Die Art und Weise wie sie abhaute, erinnerte an Flucht. Kurze Zeit später startete sie ihren Wagen und fuhr vom Hof.

Er konnte sich so gut an den Tag erinnern, weil sich Hajo im Halbschlaf die Wasserpfeife reingepfiffen hatte, um seinen Nachdurst zu stillen. Bis zehn Uhr abends war er daraufhin nicht ansprechbar gewesen. Das einzige Lebenszeichen war ein regelmäßiger Puls und ein großer feuchter Fleck, der, jedes Mal, wenn er sich wieder einnässte, ein Stückchen größer wurde. Kurz bevor sie die Nerven verloren und einen Notarzt bestellten, hatte er die Augen aufgeschlagen. Anscheinend hatte er es am Morgen, bevor er auf der Gästematratze eingeschlafen war, noch geschafft, seine Kontaktlinsen herauszunehmen.

Jede seiner Bewegungen ließ darauf schließen, dass er blind war wie ein Maulwurf. Mit den Worten, „Mann bin ich fertig“, hatte er sich den Weg ins Badezimmer ertastet, das er daraufhin für lange Zeit nicht mehr verließ.

Lediglich leises Fluchen gab Carlo und seinen Mitbewohnern die Sicherheit, dass er noch lebte. Zehn Minuten später hörten sie das Geräusch der Dusche. Erleichtert hatten sie in der Küche gesessen, als sich die Badezimmertür öffnete und Hajo durch das Haus brüllte. „Ich weiß ja nicht, was ihr blöden Wichser mit mir gemacht habt, aber jetzt brauche ich verdammt noch mal eine frische Hose!! Und vergesst die Unterhose nicht!“ Carlo hatte ihm die Sachen durch die Tür gereicht. Kurze Zeit später war Hajo in der Küche erschienen und hatte seinen suchenden Blick über den Küchentresen wandern lassen. Seine Augen ganz dicht über der Platte, scannte er die Arbeitsfläche. „Hat jemand meine Kontaktlinsen gesehen“, fragte er ohne seine Suche abzubrechen.

„Hast du die einfach auf den Küchentresen gelegt?“, hatte ihn Carlo gefragt und sich an der Suche beteiligt.

„Nee, ich habe sie in ein Wasserglas getan, damit sie nicht eintrocknen.“ Gert, der das Zimmer mit der großen Gaube bewohnte, fragte: „War das zufällig so ein großes Latte Macchiato Glas?“ „Ja, genau“, hatte Hajo geantwortet und den Blick auf die Zimmerecke gerichtet, in der er Gert vermutete. Gert begann zu kichern und krümmte sich kurze Zeit später vor Lachen. Er war morgens in die Küche gekommen, hatte das Glas mit Wasser vom Tresen genommen, mit einem einzigen Schluck seinen Nachdurst gestillt und dabei Hajos Kontaktlinsen mitgeschluckt.

Es war wirklich nicht Hajos Tag gewesen, aber definitiv einer von denen, die sie niemals vergessen würden.

Er füllte sich ein Glas Wein nach und las weiter.

Das Leben der Anderen

Nachdem mein erster Versuch, mir helfen zu lassen, so gründlich in die Hose ging, war offensichtlich, dass mich diese Strategie nicht weiterbringen würde. Aus Mangel an Alternativen, ging ich wieder zurück in mein altes Muster und versuchte, erneut in der Menge meiner Mitmenschen unterzutauchen. Mimikry!!

Auch wenn ich immer geübter darin war, mich überzeugend und unauffällig in ihr zu bewegen, blieb die Gesellschaft und ihre undurchsichtige Masse eine Welt, in der ich trieb wie ein orientierungsloser Fremdkörper.

Weil sich keine andere Lösung anbot, nahm ich den Platz an, von dem ich meinte, dass ihn die Gesellschaft für mich vorgesehen hatte und scheiterte so glücklich wie möglich an einem aufgesetzten Leben. Ich suchte mir das passendste aus dem Sortiment aus, das augenscheinlich das Leben der „Anderen" bereicherte. Auch wenn es mich nicht überzeugte, arrangierte ich mich mit dem, was mit der Zeit aus mir wurde. Antriebslos dümpelte ich vor mich hin. Solange die Erinnerung ausgeschaltet blieb, war das der einzig sichtbare Weg.

Das System gab einfache Verhaltensmuster vor, die perfekt für das Schwimmen mit dem Strom taugten. Beipackzettel für „richtiges" Verhalten lagen überall aus. Regeln, die ein Leben im Fluss leicht machten. Für das Abfischen von Totholz, die Kontrolle von Strömungen, Vermeidung von Turbulenzen, Einrichten von Laichzonen und Verbote, den Uferbereich zu betreten, gab es jede Menge Instanzen, die sich völlig selbstlos um den sogenannten „Flow“ kümmerten. Sie entschieden, wo man sich gut fühlen durfte und wo nicht.

Nicht sehr wahrscheinlich, dass ein von außen so brillant funktionierendes System Nebenwirkungen haben konnte.

Wichtig war vor allem die Altersvorsorge. Dafür zu sparen half, sich gedanklich nicht im hier und jetzt zu bewegen, sondern in dem glücklichen Leben eines gut versorgten alten Menschen. Man erklärte mir, dass ich in Bezug auf Rentenkasse im fortgeschrittenen Alter von 24 Jahren ein Defizit aufzuweisen hätte, das es nun aufzuholen galt. Der Job, den ich mir an einer Sprachenschule in Griechenland besorgt hatte, rückte als asozialer Schachzug in unerreichbare Ferne.

Für das Schwimmen gegen den Strom blieb mir keine Kraft. All meine Energie benötigte ich für die Selbstkontrolle.

Und so senkte sich der rot-weiß gestreifte Baum vor dem Weg, den ich gerne eingeschlagen hätte, und zu dem Schild „Betreten verboten“ gesellte sich der Amtsschimmel. Ein Tier! Eine Kreatur, der ich meinte, trauen zu können. Obschon ein wenig traurig, sattelte ich ihn, saß auf und schlug einen der vielen anderen Wege ein, die mir das gesittete Leben in Richtung Lebensabend aufzeigte. Das Ross setzte sich in Richtung „Schöne Aussichten“ unter mir in Bewegung. Immerhin. Ich würde glücklich alt werden. In einer schrumpeligen Haut, die nicht die eigene war.

Auch wenn ich alles dafür tat, mich im Sattel zu halten. Ich plumpste ständig runter. Es war als hätte mir das hehre weiße Pferd das Gleichgewicht genommen. Nichts gelang.

Nachdem ich nicht nur der internationalen Wirtschaftsakademie den Rücken gekehrt hatte und kellnern ging, erblickte ich nach dem Duschen einen dunkelgrünen Druck auf meinem Oberschenkel. Als ich mich verrenkte und herunterbeugte, las ich im Licht der Badezimmerlampe: Versagerin!! Im Grunde fand ich den Aufdruck ganz hübsch, zumal er farblich gut zu dem roten Stempel passte, der mir nach dem versaubeutelten Abitur verpasst worden war:
Faulpelz!!

Ich schlenderte weiter, und weil es sowieso nicht die Wege waren, die ich mir ausgesucht hätte, bog ich immer wieder ab und landete regelmäßig bei dem Schimmel, der mich aufmunterte, doch wieder aufzusitzen.

Rente mit vielen blauen Flecken. Keine schöne Aussicht.

Es ist schwierig, mit mir umzugehen.

Der rote Faden ist kein roter Pfad.

Wenn ich ihn betrete, gibt er nach und lässt mich ohne Gleichgewicht rudern.

Auch wenn ich zwei bin, gibt es keine Hände, die mich halten.

Nur Augen, die sehen, wie ich stolpere.

Mit Wonne!

Siehste!?

Wie Rhetorik mein Bewusstsein erweiterte

Im Laufe der Jahre und nach vielem Hin und Her ergaben sich dann auch Wege, die mich neue Horizonte entdecken ließen. Ich erinnere mich noch sehr genau an ein ganz bestimmtes Rhetorikseminar in Offenbach. Industrie und Handelskammer! Graue Teppichfliesen und ein subtiler Geruch, den ich irgendwo zwischen Schweiß und Harzer Käse einordnete.

Wir, die Teilnehmer, hatten eine Themenvorlage bekommen und sollten vorne am Pult vor der Gruppe darüber referieren. Eine Kamera würde unseren Auftritt festhalten, um im Nachhinein analysieren zu können, in welche rhetorischen Fettnäpfchen wir getreten waren.

Schon bei dem Gedanken, vor meine Mitschüler treten zu müssen, erreichte mein Puls schwindelerregende Höhen. Mir blieb nur die Flucht nach vorn: Schnell melden, damit es schnell vorüber war. Warten stand bei der Geschwindigkeit, mit der mein Puls nach oben jagte, überhaupt nicht zur Debatte. Entweder ich machte es sofort oder gar nicht!! Ich meldete mich und die Rechnung ging auf.

Als ich aufstand, lief die Kamera bereits.

Auf dem Weg zum Pult fummelte ich unsicher an meinem Kostüm und konzentrierte mich darauf, meine zitternden Hände und Knie zu kontrollieren.

„Jetzt bloß nicht stolpern“, war mein letzter Gedanke, bevor ich den Stift ergriff und mich ans White Board stellte. Nachdem ich einige Stichworte angeschrieben hatte, räusperte ich mich laut und begann, atemlos meine Notizen herunter zu stammeln. Meine Stimme war belegt und zitterte leicht. Der Schweiß lief in Sturzbächen von meiner Stirn herab, um sich in meinen Augenbrauen zu sammeln und von dort direkt in mein Dekolleté zu tropfen. Als ich endlich zum Ende kam, kicherten einige Mitschüler peinlich berührt, während mir Andere auf dem Weg zum meinem Platz, mitleidige Blicke zuwarfen.

Es war vorbei. Erleichtert setzte ich mich und holte tief Luft. Mein Puls hatte den Gipfel erreicht und war wieder auf dem Abstieg.

Doch der nächste Erregungszustand ließ nicht lange auf sich warten. Als wir am Nachmittag die Aufnahmen anschauten, klappte mein Unterkiefer derartig heftig herunter, dass er scheppernd zu Boden fiel. Die Person auf dem Bildschirm sah zwar aus wie ich, aber sie tat nichts so, wie ich es getan hatte!!

Mein Ebenbild rückte elegant den Stuhl nach hinten und lächelte selbstbewusst in die Runde, als es sich mit einem dynamischen Ruck nach vorne erhob. Mit einem ungeheuer gekonnten Hüftschwung schritt es zum White Board und ergriff den Stift. Als sich die Frau, die mir wie aus dem Gesicht geschnitten war, umdrehte, erwärmte ihr strahlendes Lächeln den Raum. Den Zettel mit ihren Notizen hielt sie lässig in der linken Hand und wedelte locker damit herum, während sie frei von der Leber weg, entspannt und stimmungsvoll über das gewünschte Thema dozierte.

Ich schloss fassungslos die Augen und hoffte, dass sie es mir ersparen würde, den Seminarleiter in einem Nebensatz darum bitten, mal eben eine Packung Filterzigaretten zu besorgen. Natürlich nicht, ohne gönnerhaft hinzuzufügen, dass er das Wechselgeld gerne behalten dürfe.

Ich hatte Glück!

Sie beendete den Vortrag mit einem Scherz, der das gesamte Publikum zum Kichern brachte und ging zurück zu ihrem Sitzplatz, wo sie sich setzte, zurücklehnte und die Beine überschlug.

Als alles vorüber war, schluckte ich trocken, fischte nach meinem Unterkiefer und versuchte, ihn möglichst wieder dorthin zu verfrachten, wo er hingehörte.

Verdammte Kiste!!

Ich sah, dass das, was ich fühlte mittlerweile so gut versteckt war, dass noch nicht einmal ich mich durchschaute. Dann verstand ich es: Wenn ich genauso cool und abgezockt auftrat, wenn ich vor Liebe und Leidenschaft loderte, war es doch ganz einfach zu erklären, dass mir die lauschigen Laubhaufen regelmäßig abfackelten.

Die Typen lernten mich ein bisschen beschwipst als quirliges, keckes und warmherziges Wesen kennen, nahmen mich, auch wenn ich im Laufe des Abends noch ein wenig beschwipster wurde, mit zu sich nach Hause. Dann gingen sie mit einem kleinen Kuschelhasen ins Bett, schlossen die Augen, um am nächsten Morgen neben einer Frau aufzuwachen, die so warm und nahbar war wie die russische Raumstation MIR!

Logischerweise entfernten sie sich daraufhin in Lichtgeschwindigkeit. Denn dort, wo Nutella draufstand, war nicht Nutella drin!

Es gab natürlich auch diejenigen, die mich als Domina recht reizvoll gefunden hätten, aber an Machtspielen fand ich keinen Gefallen.

Ich wollte Laub!! Auch wenn es ganz und gar nicht danach aussah!!

Eben traf mich die Erkenntnis noch, dann verschwand sie wieder in einem dichten Nebel, der sich jedoch bald zu lichten begann.

Aber erst einmal ging ich auf den Schrecken einen trinken!

Auch Carlo füllte sich noch ein Glas Wein nach.

Wie er wohl auf Henriette wirkte.

Erst zog er über ihren dicken Hintern her und plötzlich, nur wenige Tage später, flirtete er mit ihr wie ein Verrückter.

Wie konnte einer daraus schlau werden.

Egal, schließlich hatte sie sich schon immer um ihn bemüht. Der Gedanke daran, dass sich Henriette in Zukunft noch intensiver um ihn kümmern würde, ließ ihn den gelben Schnellhefter zu Seite legen und das Licht ausknipsen.

Mit dem Weinglas in der Hand schaute er durch das Fenster in die hell erleuchtete Hannoveraner Nacht. Morgen würde er Henriette anrufen und sie fragen, ob er sie zu sich ins Bushäuschen einladen dürfe. Es würde heiß werden, nachdem sein letzter Aufenthalt dort mit einer Unterkühlung geendet hatte. Er ertastete den Nachtschrank und stellte das leere Weinglas ab.

Über all die vielen Möglichkeiten, auf die er Henriette gedanklich in den nächsten Tagen verführte, schlief er ein.

Mittwoch, 24. April

Am nächsten Morgen klingelte der Wecker um 9.00 Uhr. Carlo stellte ihn aus, zog noch einmal die Bettdecke über den Kopf und dachte über Olga nach. Er wollte endlich wissen, ob es sich hier wirklich um Odette handelte. Jemand, der so einen Aufwand betrieb, tat das nicht ohne Grund. Und dieser Grund war ihm ein Rätsel.

Natürlich konnte er versuchen, mit „Herrn Torgonjowitsch“ zu sprechen, wer auch immer das sein mochte. Oder es gelang ihm, Odette persönlich ausfindig zu machen und sie zu fragen, ob sie mit der ganzen Geschichte etwas zu tun habe. Er stand auf und schaltete den Computer an. Es war schon lange her, dass er so motiviert gewesen war.

Enthusiastisch gab er den Namen „Theodor Torgonjowitsch“ ein. Lediglich einen in England lebenden Physiker fand er. Weiteres Suchen blieb ohne Ergebnis. Auch der Name „Odette Verger“ brachte ihn nicht weiter.

Wer zum Teufel verbarg sich hinter dieser Geschichte.

Nur jemand, der ihn kannte, wusste, wen er mit Olga Varanski gemeint hatte. Nur jemand, der ihm nahestand, konnte die Protagonisten aus seinem Buch so genau zuordnen. Er ging in die Küche, um zu frühstücken.

Sarah kam ihm wieder in den Sinn. Sie war schon mit sechzehn eng mit Odette befreundet gewesen. Lange bevor er mit Sarah zusammen gewesen war, hatten die beiden auf Partys ständig zusammengehockt, ohne den jungen Männern, die um sie herum ihre Muskeln spielen ließen, die gewünschte Aufmerksamkeit zukommen zu lassen. Carlo war anfangs darüber überrascht, dass Sarah all die Jahre später ein so eindeutiges Interesse an ihm bekundete. Er hatte nicht vermutet, dass er zu ihrer Zielgruppe gehörte.

Es konnte ja sein, dass sie noch Kontakt zu Odette hatte. Selbst wenn nicht, bot sich durch sein Interesse an ihr eine unverfängliche Gelegenheit, wieder eine Verbindung zu Sarah aufzunehmen. Er schrieb ihr eine kurze Mail:

Liebe Sarah,

vor einiger Zeit habe ich von einem Typen, namens Theodor Torgonjowitsch, Post aus Russland bekommen.

Ich habe Grund zu der Annahme, dass er Kontakt zu Odette hat, die ich leider aus den Augen verloren habe.

Vielleicht sagt Dir der Name ja etwas. Oder wäre es Dir möglich, einen Kontakt zu Odette herzustellen?

Als reuiger Sünder klopfe ich an Deine Tür.

Bitte melde Dich! Ich würde mich freuen, wenn wir uns mal wiedersehen.

Carlo

Click – und weg war der Versuchsballon.

Jetzt blieb ihm nur, auf eine Antwort zu warten.

Er schnappte sich erneut den gelben Schnellhefter, ging in die Küche und öffnete den Kühlschrank. Weil er keine Lust hatte, Brote zu schmieren, nahm er sich einige Scheiben Gouda, die er auf einen kleinen Teller legte. Er öffnete die Speisekammer und griff nach den Salzstangen. Dann setzte er sich und begann, am Küchentisch die letzten Seiten zu lesen, die die Geschichte von Olga noch für ihn bereithielt.

Hebel der Macht und eine wichtige Begegnung

Meiner damaligen Vorgesetzten war aufgefallen, dass ich morgens manchmal ein wenig schielte. Das hätte ihr kaum zu denken gegeben, zumal ich in der Lage war, zwei Arbeitsgänge auf einmal zu erledigen.

Wenn es nur nicht immer der Montag gewesen wäre.

Und so vermutete sie, dass ich mich regelmäßig am Wochenende überforderte.

Sie lag damit nicht ganz richtig, denn überfordert wurde ich nur von den in Spanien implantierten Stammzellen und dem Wesen, das meinen Organismus so zu schwächen wusste, dass sich diese, gegen meinen Willen, ungehemmt vermehrten.

Von Freitag bis Sonntag schlief ich nicht, weil ich feierte und nicht schlafen wollte, und von Sonntag auf Montag schlief ich nicht, weil dieses Wesen seine Hebel der Macht bis ins letzte Detail ausschöpfte und ich nicht schlafen konnte.

Als wir begannen, gelegentlich gemeinsam auszugehen, bekam meine Chefin Klarheit über die Ursachen meiner montäglichen Sehschwäche.

Da sie diejenige war, die dafür Sorge trug, dass ich mich regelmäßig fortbildete und fleißig so etwas wie Rhetorikseminare besuchte, wurde meine nächste „Fortbildung“ ein gestalttherapeutisches Seminar in

Wilmershof, einem Dorf in der Nähe von Würzburg. Ein Ort, wo sich Fuchs und Hase gute Nacht sagten und wo es keine öffentlichen Verkehrsmittel gab, für den Fall, dass man umgehend die Flucht ergreifen wollte.

Ein wenig blauäugig packte ich meine Malsachen ein und jede Menge Bücher. Aus den Erklärungen, was mich erwarten würde, war ich nicht wirklich schlau geworden. Aber es sah nicht so aus, als würde mich dort das Ambiente erwarten, in dem ich mich für gewöhnlich amüsierte.

Ich fühlte mich gut ausgestattet. So schlimm konnte die Langeweile also nicht werden. Schließlich gingen fünf Tage schnell herum. Augen zu und durch.

Schon als ich die Person sah, die uns durch die nächsten Tage leiten sollte, schwante mir nichts Gutes. Ein Typ mit Rauschebart!! Erhardt erinnerte mich an die Vielzahl heiliger Gesichter, die von Kirchendecken, Gemälden und Statuen herabblickten. Nicht nur zu denen, die in Ehrfurcht vor ihnen erstarrten. Jeder, der zu ihnen heraufblickte, wurde daran erinnert, dass man nirgends vor ihnen sicher war. Fest angebrachte Augen, die von überall her beschatteten. Kontrollinstanzen, vor Jahrtausenden überall auf der Welt installiert. Bis zum heutigen Tage hatten sie ihre Macht nicht eingebüßt. Auch mit dem schärfsten Verstand wurde man das Gefühl nie los, überwacht zu sein. Selbst wenn man sich von dem lossagte, womit man bereits vor dem Religionsunterricht indoktriniert wurde. Die Blicke waren auf den Festplatten der Gehirne von Kindesbeinen an eingebrannt! Sie blieben die Kontrollinstanzen einer von Gottesdienern geprägten Welt. Einer wütenden Welt mit jeder Menge schlechtem Gewissen.

An unserem ersten Tag wartete ich darauf, dass er mir ans Leder gehen würde, aber es passierte nichts. Er stellte mir lediglich harmlose Fragen, deren Antworten er noch nicht einmal kommentierte. Das gleiche Spiel wiederholte sich am zweiten Tag. Am dritten Tag begann ich mich zu entspannen und vor mich hinzudösen. Von Erhardt ging keine Gefahr aus. Keine Drohgebärden, keine Versuche mich zu manipulieren. Ich entschied, ob ich seinen Fragen ausweichen oder sie beantworten wollte. Wir begegneten uns auf Augenhöhe, ich fasste Vertrauen und öffnete ihm die Tür zu meiner gesellschaftsfreien Zone.

Ganz selbstverständlich schritt er über die Schwelle und gesellte sich zu dem, was mit hoffnungsvollen Augen darauf wartete, gesehen zu werden. Völlig unerwartet tat er etwas, das mein Leben grundlegend veränderte. Er griff tief in mich hinein und nahm einen großen Stein aus meiner Mauer.

Dann ließ er uns allein.

Aus dem Dunkel tastete sich eine schmale, blasse Kinderhand, die sich ihren Weg in mein Gesicht bahnte. Sie legte sich auf meine Wange und begann mich zu trösten.

Gesellschaftsspiele

Sie tröstete mich geschlagene drei Tage lang. Als sich die Tränen, die sich seit meiner frühen Kindheit aufgestaut hatten, erst einmal einen Weg gebahnt hatten, hörten sie nicht wieder auf zu fließen.

Am Ende der fünf Tage war ich um einige Lasten leichter. Vor allem um die Last eines Mauersteins, den ich nicht wieder zurücklegte.

Dafür war ich zu müde.

Als ich nach Hause kam, schlief ich das Wochenende durch. Noch fehlte mir die Kraft, weitere Steine abzutragen, aber immerhin wusste ich jetzt endlich um die Existenz meiner kleinen Mitbewohnerin. Auch wenn es sich anfänglich noch schwierig gestaltete, entwickelten wir einen zaghaften Dialog. Es war nicht einfach, die Verhaltensweisen zu erkennen und die Muster abzulegen, die ich benutzt hatte, um mich vor meiner Erinnerung zu schützen.

Wir begannen zu puzzeln.

Wir wussten noch nicht, wie viele Teile das Puzzle haben würde, aber eins wurde uns klar: es war eines mit hohem Schwierigkeitsgrad und die einzelnen Teilchen würden oft so klein sein, dass man sie kaum erkannte.

Wenn wir gar nicht mehr weiterkamen, meldeten wir uns in dem Kuhdorf bei Erhardt an, der die Arbeitshandschuhe anzog und uns dabei behilflich war, weitere Brocken aus meiner Mauer zu klopfen. Dann fuhren wir nach Hause und puzzelten weiter.

Je länger wir uns miteinander auseinandersetzten und je mehr Konturen die zusammengesetzten Bilder bekamen, umso klarer wurde mir, dass die Rolle, die ich in diesem Leben bisher gespielt hatte, in dem Augenblick zu Ende sein würde, in dem wir das letzte Teil finden würden und einsetzten.

Mit jedem Tag, der uns weiterbrachte, wurden die Umrisse des blassen Kindes schärfer, und ich merkte, wie ich immer durchsichtiger wurde. Natürlich war mir ein wenig wehmütig ums Herz, wenn ich daran dachte, dass das Theater, in dem ich den größten Teil meines Lebens verbracht hatte, für immer seine Tore schließen würde.

Aber noch blieb mir ein wenig Zeit. Die Teile, die wir fanden, waren in alle Richtungen verstreut und auch nicht sehr groß. Es würden noch viele Abende vergehen, bevor wir das Werk vollendeten.

Als es dann soweit war, ging es schneller als ich erwartet hatte. Ich hielt das letzte Puzzleteil in der Hand und tat was ich tun musste!

Letzter Vorhang

Niclas lernte ich auf einer Faschingsparty kennen.

Ich hatte bereits das dritte Jahrzehnt meines Lebens betreten und befand mich auf dem Höhepunkt tiefsten Trennungsschmerzes. In Bezug auf Unterhaltungswert war ich an dem Abend nach eigener Einschätzung ein Schuss in den Ofen.

Der Grund dafür lag, nach meinem damaligen Dafürhalten, bei dem Vater meines Verflossenen, der meinen Bildungshintergrund in Frage gestellt und seinen Sohn darüber aufgeklärt hatte, dass es meinen gerissenen, unterbelichteten, grauen Zellen lediglich um eine Schwangerschaft ginge. Der besorgte Patriarch hatte solange für Lümmeltüten gesorgt, obwohl ich die Pille nahm, bis das Gummi sämtliches Vertrauen erstickte und sich sein Sohn, ein angehender Akademiker, von mir trennte. Der junge Mann, der bis dahin in Hinblick auf Emotionen und Integrität mit offenen Karten zu spielen schien, hatte sich als gehorsamer Hofhund erwiesen.

Mein Selbstbewusstsein ging im Keller auf Krücken. Waid Wund wollte ich nichts als Wunden lecken und Betaisodona auftragen. Der Weg zurück in das Kellerloch, wo ich den erneuten Verlust von Vertrauen und Glücksgefühl verdauen wollte, wurde mir jedoch durch mein Kostüm versperrt. Als Teil eines Verkleidungspakets, ich war das Bein eines zehnfüßigen Basthaarspinners, wäre ohne mich das

Kostüm geplatzt. Mit gnadenloser Härte wurde ich in das Getümmel getrieben, auf die legendäre Ellerhofer Faschingsparty. Alkohol und Bockwürstchen bis zum Abwinken. Ich hatte weder auf das eine noch das andere Lust.

Und dann kam Niclas und schlug mit aller Wucht die Tür zur Kellertreppe zu. Ohne mein Einverständnis!

Er tanzte wild in seinem rosa geblümten Hippie-Hänger-Kleid, das durch seinen Schweiß mittlerweile körperbetonte Formen annahm. Seiner Oberweite (85D) hatte er sich inzwischen entledigt, nachdem sie konsequent jeglichen näheren Körperkontakt verhinderte und jede Drehung beim Tanzen blockierte.

Als er mein Baströckchen erblickte, fühlte er sich augenblicklich an seinen herrlichen Afrikaaufenthalt erinnert, wo er auf einer Expedition das Leben der seltenen Basthaarspinner verfolgt und gefilmt hatte. Völlig frei von Empathie riss er unser Kostüm auseinander und mich auf die Tanzfläche. Erbarmungslos drehte er mich immer schneller im Kreis. Mein trauriger Zustand entging ihm völlig, er hatte nur Augen für meine Zahnlücke. Er stellte mir seinen besten Freund Hans vor. Hans war mir sofort sympathisch. Er kam umgehend auf das Wesentliche zu sprechen und fragte: „Na, schon geknutscht?"

Wir schüttelten unsere Köpfe.

Noch während ich versuchte, ihm die Hand zu geben und mich vorzustellen, wandte er sich an Niclas und sagte: „Nu mah ran da, wir wolln gleich los!“ Dann drehte er sich um und ging Bier holen. Was den Bildungshintergrund betraf, war ich endlich dort, wo ich hingehörte!

Niclas nahm die Hand, die bei Hans ins Leere gegriffen hatte, und schleppte mich wieder auf die Tanzfläche. In den kurzen Atempausen, die er uns gönnte, erzählte er mir davon, dass er in den nächsten Tag für ein halbes Jahr nach Nordengland umsiedeln wolle.

Dass mit dem Knutschen wurde nichts, stattdessen bekam ich seine Adresse. Wir begannen, einander zu schreiben.

Aus anfänglich lustigem, oberflächlichem Geplänkel wurde nach und nach ein immer ernsthafterer Austausch. Ich schrieb mich über meinen Liebeskummer hinweg und Niclas über seine Einsamkeit in den schottischen Borders: Keine Frauen, nichts als reizende Friseure!

Wir nutzten die Entfernung, um einander näher zu kommen. Aus purem Leichtsinn begann ich, noch mehr kleine Steinchen aus meiner Mauer zu nehmen und Licht in mein „Backstage“ zu lassen.

Nachdem wir einander ein halbes Jahr geschrieben hatten, erreichte eine Adduktorenzerrung, dass

Niclas nach Deutschland kam. Zwei Tage nach seiner Ankunft trafen wir uns in Kiel.

Das, was sich auf die Entfernung so gut angefühlt hatte, in die Tat umzusetzen, war für keinen von uns einfach. Aber weil Niclas gern wusste, wohin die Reise ging, war er konkret. Im Gegensatz zu mir hatte er einen Plan. Er legte seine Karten offen auf den Tisch: „Keine Spielchen!“, war seine klare Ansage. Er wollte die Frau fürs Leben. Wenn ich mir ein Leben mit ihm nicht vorstellen könnte, sollte ich das gleich sagen.

KEIN THEATER BITTE!

Ich war überrascht. Ich hatte noch gar keine Möglichkeit gehabt, Niclas die Palette meines schauspielerischen Könnens zu präsentieren. Hier saß ich völlig ohne Kulisse, keine Scheinwerfer, ganz ohne Maske und es blieben mir nur wenige Sekunden Zeit, mich zu entscheiden.

Und so beschloss ich, hier und jetzt meine Schauspielerkarriere an den Nagel zu hängen.

Ohne lange zu zögern, verabschiedete ich mich von der Bühne, die mehr als zwei Jahrzehnte mein Zuhause gewesen war. Ich ließ den letzten Vorhang fallen.

Es waren wohl die Steine gewesen, die ich aus meiner Mauer genommen hatte. Niclas musste im Halbdunkel etwas entdeckt haben, und es schien ihm zu genügen.

Dort saß das kleine Mädchen, das gern mit sich allein war.

Winzig zwar, aber so gut wie unberührt!

Das Laub war trocken, von der Sonne aufgewärmt, es gab unter mir nach, trug mich und bettete mich warm.

Olga Varanski verließ mich, nachdem sie das letzte Teil in das Puzzle eingefügt hatte. Sie wurde zu einem Geist, der mich auch heute noch oft durch meine Gedanken und Träume begleitet. Gelegentlich lässt sie sich zu einem kleinen Gastspiel überreden.

Ich habe ihr viel zu verdanken.

Hörte sich nach Neuanfang an.

Wenn das wirklich Odette war, die das geschrieben hatte, warum kam die Post erst jetzt? Jahre nachdem „Klang einer Jugend“ erschienen war. Und warum war ihm die hier beschriebene Person so fremd. Sie hatte nur sehr wenig mit der Odette zu tun, die er aus seiner Jugend erinnerte. Odette war nicht der Typ, der auf Therapeuten stand. Über die hatte sie sich eigentlich eher lustig gemacht. So wie er sie kannte, konnte er sich kaum vorstellen, dass bärtige Psychohippies die Chance hatten, so an ihrem Selbstbewusstsein zu kratzen, dass sie anfing herum zu heulen. Sein ganzer Körper sträubte sich gegen diese Vorstellung. Vor seinem inneren Auge war sie stark. Sie hatte die Fäden in der Hand.

Er las den Brief von Theodor noch einmal und stellte sich vor, wie die Person, die er geschaffen hatte, in Russland verblasste und verschwand.

Russland. Dorthin hatte er seine Olga in „Klang einer Jugend“ entführt. Als er abends allein in seinem Bett lag und seiner Phantasie freien Lauf ließ. Hand in Hand waren sie in den Trans-Sibirien Express gestiegen und hatten Zärtlichkeiten ausgetauscht. Nach einer romantischen Reise durch berauschende Natur waren sie ausgestiegen und waren auf dem Rücken mongolischer Pferde durch die Taiga um die Wette geritten. Danach hatten sie sich am Lagerfeuer unter freiem Himmel geliebt.

Nun war sie verschollen.

Genau wie Odette.

Würde Sarah wissen, wo sie sich aufhielt?

Er bekam seine Antwort schneller als erwartet. Als er seine Eingänge kontrollierte, war bereits Post von Sarah da.

Da hatte sie es aber eilig gehabt.

Sein Puls wechselte in eine höhere Frequenz. Nur ein einziges Click und er würde wissen, ob Sarah wieder glücklich war oder ob sie noch immer auf Rache sinnte. Sie hatten seit Jahren kein Wort mehr gewechselt.

Sarah schrieb:

Liebes Carlolein,

ich komme erst einmal zu Deinem Anliegen: Theodor Torgonjowitsch sagt mir nichts. Bei den Initialen T.T. kann er allerdings nichts Gutes bedeuten.

Ich war mal mit einem Typen zusammen, der hatte die gleichen und war eine ziemlich laue Nummer.

Schriftsteller war der, soweit ich mich erinnere. Ein ziemlich erfolgreicher sogar in der Zeit, in der ich mich noch um seine Karriere gekümmert habe.

Wirklich amüsant, aber so unglaublich unselbstständig, dass er eigentlich keine Freundin brauchte, sondern ein Kindermädchen. Gottlob war er viel unterwegs, so dass ich mich zwischendrin immer mal ein wenig von seinem Gejammer erholen konnte.

Eigentlich wollte ich mich schon geraume Zeit von ihm trennen, aber er war so ein Waschlappen! Ich hatte Angst davor, er würde sich einen Stein um den Hals hängen und in die Weser stürzen, wenn ich ihm nicht mehr als Krückstock zur Verfügung stand.

Ich hätte mich nur guten Gewissens von ihm trennen können, wenn ihn statt meiner jemand anderes an die Hand genommen hätte.

Er lieferte, gottlob, selbst die Steilvorlage für die Trennung, indem er mich mit einer Minderjährigen hinterging. Jeder hatte daraufhin großes Verständnis dafür, dass ich mit einem solchen Typen nicht mehr zusammenbleiben konnte.

Für pädophile Tendenzen hat heutzutage niemand sehr viel übrig.

Jammern und Weser wären in seiner Situation nicht besonders glaubhaft gewesen.

Mir geht es gut. Danke der Nachfrage. Ich habe tatsächlich jemanden gefunden, der mich respektiert und es ist eine Wohltat, einen Partner zu haben, der so stabil auf zwei Beinen steht, dass ich mich nicht ständig bücken muss, um ihn wieder aufzuheben.

Sogar meine Körperhaltung ist eine wesentlich bessere als zu Deinen Zeiten.

Wir können uns gerne wieder treffen, schließlich hast Du ja Unterhaltungswert.

Habe übrigens lange nichts Neues von Dir gelesen.

Odette habe ich zu Pauls Geburtstag getroffen. Wir haben aber schon lange keinen intensiven Kontakt mehr. Sie hat mich noch nicht einmal zu ihrer Hochzeit eingeladen.

Was reuige Sünder und Pädophile betrifft, so sind sie in der katholischen Kirche gut aufgehoben, soweit ich informiert bin.

Wäre sicher nicht uninteressant für Dich zu konvertieren.

Sarah

Hui! Carlo schluckte!

Es musste sie also doch ganz schön hart getroffen haben, damals. Und er war immer kurz davor gewesen, ihr zu sagen, sie solle sich nicht so anstellen. Schließlich wäre er ja total betrunken gewesen, als sie ihn erwischte. Gut, dass er ihr das erspart hatte.

Dass sie ihrem Ärger Luft machte, war ihr gutes Recht. Es gab mehrere Punkte in ihrer Botschaft, mit denen sie den Nagel auf den Kopf traf. Er wusste tatsächlich nicht, wie er reagiert hätte, wenn sie sich damals überraschend von ihm getrennt hätte. Und was seine Karriere betraf, hatte sie sicherlich viel für ihn getan. Hatte er wirklich so viel gejammert? Er versuchte sich zu erinnern. Nicht mehr als sonst, aber vielleicht hatte das ja schon gereicht. Hatte ihm nicht Gert auch schon einen Morbus mediterraneus attestiert, als er seine Semesterferien am Ammersee bei seinen Eltern verbrachte. Gert hatte noch während seines Medizinstudiums eine Italienerin geheiratet und daraufhin in Rom studiert. Der musste es eigentlich wissen, schließlich war er dort, wo er war, ständig mit diesem Krankheitsbild konfrontiert.

Noch bevor er weiter ins Grübeln kommen konnte, erreichte ihn eine weitere Mail von Sarah, die er zögernd öffnete.

Hallo Carlo,

das war sicher nicht die Reaktion, die Du erwartet hattest, gell?

Habe mich gerade tierisch über meine Chefin geärgert. Da kam es recht, dass gerade Du mir geschrieben hast.

Vielen Dank, dass ich Dich als Projektionsfläche nutzen durfte. Auf diese Art und Weise Dampf abzulassen, geht bei einer Vorgesetzten natürlich nicht. Das verstehst Du doch sicher.

Zugegeben. Es hat mir ziemlich viel Spaß gemacht, Dir ans Bein zu pinkeln. Mich von unserem letzten Treffen zu erholen, hat eine ganze Weile gedauert.

Schnee von gestern!

Mir geht es echt gut. Bin seit über einem Jahr mit einem „Bankdirektor" zusammen. Hätte ich auch nicht gedacht, dass gerade mir so etwas passiert. Jan ist wirklich engagiert und alles andere als das, was wir uns früher unter dieser Zunft vorgestellt hätten.

Ihr hättet viel Spaß. Melde Dich gerne

Viele liebe Grüße

Sarah

Carlo atmete erleichtert auf. Das war diese Woche bereits das zweite Wechselbad der Gefühle. Aber wenn er ehrlich war, hatte er es ja nicht anders verdient. Trotzdem war es ein schönes Gefühl, wenn Frauen einem nicht wirklich böse sein konnten.

Er las sich die erste Mail von Sarah noch einmal durch. Keine viertel Stunde nachdem sie ihn vom Hocker gehauen hatte, konnte er nun über sie schmunzeln. Eine Passage, die sie geschrieben hatte, ging ihm nicht aus dem Kopf. Die Sache mit den Initialen.

Er stand auf, ging zum Nachttisch und nahm die Zeilen, die ihm „der Russe“ geschrieben, hatte noch einmal zur Hand.

Theodor Torgonjowitsch. T.T.

Es waren tatsächlich seine Initialen.

Eines Namens, der ihn an seine Kindheit erinnerte! Der Name, den er gegen Carlo Carazzo eingetauscht hatte: Trojan Tiller.

Sie tat das, was er getan hatte. Sie ließ die Anfangsbuchstaben der Personen stehen, die er beschrieb, und veränderte den Namen dahinter.

Olga Varanski – Odette Verger

Er war ein wenig aufgeregt, als er seinen PC anschaltete und das russische Alphabet googelte. Er druckte die Buchstaben aus und ging in die Küche, wo er den zerknüllten Umschlag aus Russland aus dem Papiermüll fischte. Am Küchentisch glättete er das Papier und begann, den Absender zu übersetzen.

Theodor Torgonjowitsch co. Odette Bernhard

Hasenried 23c

24567 Gertweiler

Odette Bernhard. Sarah hatte geschrieben, dass sie verheiratet war.

Er erhob sich und ging hinüber ins Büro, wo er seinen Füller zur Hand nahm und einen frischen Bogen weißes Papier. Dann setzte er sich in die Küche und begann zu schreiben:

Liebe Odette,

gute Idee, dass mir Theodor Torgonjowitsch, alias Trojan Tiller, Post aus Russland schickt, wo er Dich, alias Olga Varanski, kennengelernt hat.

Es hat eine Weile gedauert, bis ich das kapiert habe.

Wir haben lange nichts mehr voneinander gehört und ich muss Dir leider mitteilen, dass mich Trojan Tiller verlassen hat, genau wie Deine Olga Dich. Im Gegensatz zu

Dir habe ich jedoch kein Interesse an Gastspielen. Der alte Spießer ist mir viel zu uncool. Trojan Tiller ist Lichtjahre von mir entfernt.

Eigentlich eine ganz schöne Idee, dass er sich zusammen mit Olga Varanski in Luft aufgelöst hat.

Da haben wir ja doch auf eine gewisse Art und Weise zueinander gefunden, auch wenn es am Anfang nicht so ausgesehen hat.

Romantische Vorstellung, dass Trojan und Olga sich irgendwo in diesem Universum in den Armen liegen und sich einen feuchten Kehricht darum scheren, dass sie in unserem Leben keinen Platz mehr haben. Findest Du nicht?

Vielleicht können wir uns treffen und bei einer Flasche Wein alte Zeiten aufleben lassen. Wir haben uns ja ewig nicht gesehen.

Wir können ja vorher, wie früher, unserer Ostsee einen Besuch abstatten. Die vermisse ich sehr. Genau wie den Imbiss in Hennersbeck. Gibt es den noch?

Auf jeden Fall würde ich mich freuen, von Dir zu hören.

Melde Dich und grüß mir ja den alten Trojan Tiller, falls Olga ihn bei ihrem nächsten Gastspiel tatsächlich im Schlepptau hat.

Hasta la vista

Carlo

Er las die Zeilen noch einmal durch, holte einen passenden Umschlag aus dem Schreibtisch, legte seinen Brief hinein und fuhr genüsslich mit der Zunge über den süßen Klebestreifen. Er legte den Umschlag mit der Vorderseite nach unten auf die Fensterbank und fuhr mit der Hand über das klebende Dreieck auf der Rückseite des Kuverts. Er holte seine Jacke aus der Garderobe und machte sich auf den Weg zur Post.

Das Lächeln, das er sich in den Spiegel zuwarf, bevor er die Tür öffnete, ließ den 60 Watt Deckenstrahler vor Neid erblassen.

Als er auf die Straße trat, fegte eine kalte Windböe um die Ecke und blies ihm seine Haare ins Gesicht. Er klemmte den Briefumschlag unter den Arm, stellte seinen Pelzkragen auf und lief die Straße hinunter.

Er war schon lange nicht mehr so guter Dinge gewesen. Er freute sich darauf, Odette wiederzusehen. Womöglich barg sie den Stoff zu einem neuen Werk.

Die Aussicht darauf, dass es sogar demnächst wieder eine Frau geben würde, die ihm den Rücken freihielt, bestärkte ihn in dem Glauben, dass sich sein Leben bald grundlegend ändern würde.

Henriette um ein Rendezvous zu bitten, ließ sein Herz vor Glück ein paar Takte schneller schlagen. Kleine Fledermäuse flatterten durch seinen Bauch, wenn er sich vorstellte, wie er ihren Kopf in seine Hände nehmen würde, um sich bei einer jeden ihrer süßen Sommersprossen persönlich vorzustellen. Dabei würden seine Lippen ihre Haut ganz sachte berühren und ihre wilden, roten Locken würden um seine Hände lodern. Er war sich ganz sicher: Die Zeit der Einsamkeit war bald vorbei.

Beschwingt nahm er zwei Stufen auf einmal, als er die breite Treppe vor der Hauptpost hinauflief. Er öffnete die große Schwingtür und betrat die Halle, deren Gemurmel in der Deckenkuppel gebündelt wurde und als angenehm gedämpfte Geräuschkulisse auf ihn herabfiel.

Er hatte schon eine Weile angestanden und begonnen, sich in der Halle um zu sehen. Als er Henriette entdeckte, schossen die Fledermäuse quer durch seinen Organismus, nur um sich Sekunden später in seinen Innereien fest zu krallen und den Kopf hängen zu lassen. Sie war nicht allein und ganz zweifelsohne genauso verliebt wie der breitschultrige, attraktive Hüne, der die Besitzansprüche an die rothaarige Schönheit an seiner Seite ganz offen zur Schau trug.

Seine Hände lagen da, wo eigentlich seine Hände hatten liegen sollen. Und auch um die Sommersprossen kümmerte sich der Hüne bereits leidenschaftlich.

Die Stimme hinter dem Schalter riss ihn gnädig aus seinem Elend: „Was kann ich für Sie tun?“ Er schob den Umschlag durch den schmalen Spalt in der Panzerglasscheibe und zahlte den geforderten Betrag. Mit gesenktem Kopf schielte er in Henriettes

Richtung, nur um sich anschauen zu müssen, wie sie der Typ von hinten in den Arm nahm und ihr zärtlich den Hals küsste.

Wie immer war er wieder zu langsam gewesen. Man hatte ihm die tollste Frau auf dem Silbertablett serviert, und er hatte es einfach fallen lassen.

Er ging nach Hause, um sich der Art von Trümmern zu widmen, die jede Form von Amüsement vermissen ließen.

Er würde Wirgo anrufen. Was er jetzt brauchte war jede Menge „Nachtisch".

Als er zu Hause ankam, führte sein erster Weg in die Küche, um eine Flasche Rotwein zu öffnen. Er füllte das Glas zur Hälfte und nahm einen tiefen Schluck.

Dann griff er sein Mobiltelefon und wählte Wirgos Nummer.

Donnerstag, 25. April

Er lag auf der Bank im Wartehäuschen. Kalt war ihm nicht, obwohl er Schnee sehen konnte. Sein Blick in die Nacht war nicht mehr ganz klar, und er war sich nicht sicher, ob es sich bei dem, was er sah, wirklich um eine Gestalt handelte. Aber dann sah er sie ganz deutlich. Es war eine blasse junge Frau, die auf ihn zutrat. Je näher sie kam, umso wärmer wurde ihm um das Herz.

Sie war es, Olga, Olga Varanski.

Sie trug ein weißes Kleid, das fast mit ihrem Körper zerschmolz. In der Hand, die sie an ihr Herz drückte, trug sie etwas, das ihm bekannt vorkam.

Die rote Pudelmütze.

So wie sie die Mütze hielt, sah es für einen Moment aus, als würde sie eine große, blutrote Wunde mit den Händen bedecken wollen.

Es fühlte sich tröstend an, als sie sich neben ihn in den Schnee kniete. Sie strich ihm eine Haarsträhne aus dem Gesicht und setzte ihm liebevoll die Mütze auf. Ohne ein Wort zu sagen, nahm sie seinen Kopf in ihre Hände, und tastete sich mit ihren Lippen über sein ganzes Gesicht hin vor bis zu seinem Mund. Er spürte, wie sich das Glühen ihrer Lippen über seinen gesamten Körper ausbreitete. Es war als würde sie ihn mit sich übergießen und er kauerte sich bereitwillig in ihr zusammen.

Sie ließ ihn nicht los und hielt ihn ganz fest, als sie ihren Weg zurück in den Schnee antraten.

Freitag, 26. April

Man fand ihn in den frühen Morgenstunden auf der Bank im Wartehäuschen der Bushaltestelle. Es schneite wieder und der Wind trug einzelne Flocken in das Häuschen hinein. Sie trudelten durcheinander und fielen zärtlich auf ihn herab. Herab auf die vielen anderen Schneeflocken, die ihn bereits bedeckten und ihn aussehen ließen, als wäre er mit Puderzucker bestreut.

Er lächelte und hielt die rote Pudelmütze fest an sich gepresst.

TEIL 2

Heidelberg, anderthalb Jahre zuvor

Es hatte ganz harmlos angefangen.

Annika, eine von Niclas´ Reitschülerinnen, meldete sich aus ihrem Urlaub in Straßburg. Ihr blieb noch eine Woche, bevor sie wieder anfangen musste zu arbeiten und so luden wir sie ein, ihre lange Heimfahrt nach Berlin mit einer Stippvisite bei uns zu verbinden. Sie war für zwei Tage unser Gast.

Wir hatten abends gemütlich am Ofen gesessen, das eine oder andere Glas Rotwein gelehrt, als wir auf die Orte zu sprechen kamen, in denen wir als Kinder und Jugendliche unseren Urlaub verbrachten. Hennersbeck an der Ostsee! Nee, du auch?

Sie war mit ihren Eltern während der Sommerferien auf dem Campingplatz dort Dauergast gewesen und hatte jede freie Minute beim Ponyverleih verbracht, bei Bauer Ehlers. Sie war morgens regelmäßig zum Einsatz gekommen, weil es den Ponys immer wieder gelang, sich von den Stricken zu befreien, mit denen sie über Nacht angebunden waren. Morgens standen sie dann zum Leidwesen des Besitzers auf dem englischen Rasen in den Vorgärten der Nachbarn und mussten eingesammelt werden. Egal was sich Bauer Ehlers einfallen ließ, sie hauten immer wieder ab.

Ich musste lachen und fragte Annika, ob sie wissen wolle, was die Ponys in der Nacht noch so alles anstellten, nachdem wir sie losgebunden hatten?

Ich war in der Nähe von Hennersbeck großgeworden und verbrachte viele Abende im dortigen Imbiss, wo noch bis ein Uhr morgens Bier, Wein und Autan ausgegeben wurde. Es war unser Treffpunkt, an dem wir „vorglühten“, bevor es in die Disco ging. Im Schalimar war ab halb zwei der Eintritt frei.

Da morgens um eins meist keiner mehr in der Lage war Mofa geschweige denn Auto zu fahren, gab es hier zwei Lösungen: Entweder die drei Kilometer zum Schalimar zu Fuß zu laufen oder sich ein Pony zu schnappen und in die Disco zu reiten. Letzteres war definitiv die lustigere Lösung. Dort angekommen, ließen wir die Vierbeiner einfach frei. Sie liefen dann über die Moorwiesen zu ihren Kumpels zurück und freuten sich auf die Leckereien in den Vorgärten. Für alle Parteien eine gute Lösung. Unserer Meinung nach.

Eine Geschichte gab die andere und irgendwann kam Annika darauf, dass ich doch Carlo Carazzo kennen müsste. Der hätte sich doch zu meiner Zeit auch dort herumgetrieben.

Carlo Carazzo? Den gab es damals noch nicht. Der trieb noch unter einem anderen Namen sein Unwesen: Trojan Tiller.

Mit leuchtenden Augen erzählte Annika von „How to Dorf“, und „Klang einer Jugend“, das Buch, in dem die gesammelten Werke über das Landleben zusammengetragen waren. Dass sie seine Lesungen besuchte, wenn er in Berlin war und dass sie ihn zum Schreien komisch fand. Sie konnte gar nicht glauben, dass ich seine Anekdoten nicht gelesen hatte, obwohl ich ihn doch persönlich kannte.

„Klang einer Jugend“. Ich konnte mich noch sehr genau daran erinnern, dass jemand meiner Mutter das Buch zum Geburtstag geschenkt hatte: „Herzlichen Glückwunsch! Da ist deine Tochter drin!“

Auch meine Mutter hatte mich „wiedererkannt“. Nachdem sie Carlos Buch gelesen hatte, gab sie mir mit belegter Stimme ein kurzes Resümee: So wie sie es verstand, küsste ich nicht nur ihn, sondern auch alle anderen.

Das stimmte so nicht ganz.

Irgendwie hatte es mich bereits damals peinlich berührt, dass Carlo meiner Mutter Dinge erzählte, die ich eigentlich für mein persönliches Nähkästchen gehalten hatte. War es nicht mein gutes Recht selbst zu entscheiden, was ich meiner Mutter aus meiner Jugend erzählen wollte und vor allem wie? Wie ein Denunziant hatte er sich an ihr Ohr gebeugt und ihr erzählt, was sie überhaupt nichts anging. Sie hatte es nicht wahrhaben wollen, er lieferte ihr den Beweis: Ihre Tochter war liederlich.

Meine arme Mutter!

Ich hatte sowohl um das komische Gefühl, das ich nach dem Gespräch gehabt hatte, als auch um Carlos Buch einen großen Bogen gemacht.

Annika schenkte es mir zum Abschied, bunt verpackt mit einer lustigen Postkarte.

Da lag es nun. Carlo Carazzos Buch.

Ich konnte mich noch an den Abend erinnern, an dem das Coverphoto gemacht wurde.

„Solche Dinge lässt man am besten ruhen“, schoss mir spontan durch den Kopf.

Es kommt, was kommen muss

Mit einiger Überwindung las ich den Klappentext.

Irgendwie spürte ich noch immer keinen Appetit auf diesen literarischen Hauptgang. Schließlich hatte bereits die Vorspeise für mich einen komischen Beigeschmack gehabt. Und so ließ ich erst einmal meinen Mann Vorkosten.

Niclas war amüsiert!

Für Spaß war ich im Grunde immer zu haben. Wenn sich Niclas gut unterhalten fühlte, konnte es ja nicht so schlimm sein. Ich schnappte mir die Lektüre und brachte es hinter mich.

Die Freundin meiner Mutter hatte recht gehabt.

Auch ich erkannte mich wieder.

Aber ich war in guter Gesellschaft, denn da waren auch alle anderen: Grit, Piet, Anton, Sarah, Flora, Anke, Waltraut, Annette, Michaela, Soltan, Georg, Detlef, die Brüder Haller, Klaus, Annegret, Gudrun, Hassan, Butschi, Heinrich, Markus, Immo, Herr Mottke und viele andere, mit denen ich einen Teil meiner Jugend verbracht hatte.

Ich versuchte den Trick, der bei der Vorspeise vor acht Jahren ganz gut geklappt hatte. Ablage und großen Bogen drum.

War ja nicht so schlimm. Ich legte das Werk zur Seite und antwortete auf Niclas Frage wie ich es fand: „Ganz o.k.“

Aber leider funktionierte das mit der Ablage dieses Mal nicht. Mein Unterbewusstsein reagierte auf meine Ignoranz genau wie das Finanzamt auf verbuddelte Drohbriefe: Es wurde stinksauer, pfändete mein Konto und legte mich lahm.

Vorerst blieb ich gelassen. Mit Wut kannte ich mich mittlerweile ganz gut aus. Ich ließ sie zu. Die Ursachen lungerten meist vor meiner eigenen Tür herum. Auch wenn ich den Grund manchmal gerne woanders gesucht hätte, zerlegte ich die Wut in ihre Einzelteile, suchte meine wunden Punkte und nahm ihr den Dampf. Am Ende war niemand einen Kopf kürzer und mein Blutdruck wieder bei 120 zu 80. Wo war das Problem?

Diese Wut war anders. Sie legte sich über mich wie eine Glocke. Die Außenwelt drang nur noch gedämpft zu mir durch. Das schlimmste war, dass auch ich nur noch bedingt bei meinen Mitmenschen anzukommen schien. Keiner, am wenigsten ich selbst, konnte mir meine Wut erklären. Sie war für niemanden nachzuvollziehen. Trotzdem war sie so präsent, dass sie begann, meinem Tagesablauf zu dominieren.

Wie üblich, wenn ich mich hilflos fühlte oder mir Dinge nicht erklären konnte, fing ich an zu schreiben.

Im Normalfall regelte sich alles über eine Kurzgeschichte, die ich solange überarbeitete, bis mir der Inhalt klar war.

Diese Kurzgeschichte stellte sich allerdings taub und machte mich blind für alles was mir und Niclas wichtig war.

Sie produzierte Worte, ununterbrochen. Sie weckte mich nachts und rief zum Diktat. Ich schrieb ständig, verwarf, schrieb neu, immer und immer wieder und tappte nach wie vor im Dunkeln. Nichts war klar. Ich war völlig hilflos. Die Wut ließ nicht nach.

Sie übertrug sich nach und nach auch auf Niclas. Sie wuchs mit jedem Tag, den ich an meinem Laptop saß oder mit meinen Notizbüchern verbrachte. Was unseren Betrieb betraf, war ich so gut wie ausgeschaltet. Wie eine Besessene schrieb ich Tag und Nacht. Der Kopf formulierte am laufenden Band, in einem rasanten Tempo. Für Niclas war ich nicht als die Person wiederzuerkennen, die er geheiratet hatte. Ich knallte förmlich durch, er erreichte mich kaum noch. Er war mit der Situation völlig überfordert, zumal wir im Begriff waren, an die Ostsee zurückzugehen und den Hof meiner Eltern zu übernehmen. Es war definitiv nicht Schreiben, sondern Packen angesagt!

Jeder, mit dem ich über meinen Zustand und dessen Ursache sprach, hielt mich für hysterisch. Ich würde mir etwas einbilden.

Der Inhalt von „Klang einer Jugend“ hätte gar nichts mit mir zu tun. Es war einzig und allein Carlos Geschichte. Die meisten erinnerten sich sogar gern an die alten Zeiten und freuten sich darüber, sich in seinen Erzählungen wiederzufinden.

Meine Wut und ich standen allein auf weiter Flur. Warum konnte niemand nachvollziehen, dass ich mich an dem Bild störte, das Carlo von mir zeichnete? Was war mit mir los, dass ich mich nicht wie die anderen freuen konnte?

Halluzinationen? Die Bilder, die ich zu sehen glaubte.

Sinnestäuschung? Was zwischen den Zeilen zu stehen schien.

Wahnvorstellungen? Ohne auch nur in die Nähe von LSD gekommen zu sein?

Mein Körper lieferte also nicht nur Kokain frei Haus. Jetzt schmiss er sogar Trips, ohne dass ich darum gebeten hätte.

Ich beschloss, nicht mehr mit meinen Nöten hausieren zu gehen und übte mich erneut in Selbstkontrolle. Ich zwang mich, wieder einige kleine Aufgaben zu übernehmen und begann, Niclas bei den zahlreichen Abrissprojekten im Hause meiner Eltern zu helfen. Es war das Ende unzähliger Auseinandersetzungen. Niclas beschloss, sich *nicht* von mir scheiden zu lassen. Ihm war klar geworden, dass ich genauso unter der Situation litt wie er.

Er versuchte, seine durchgeknallte Frau mit Humor zu betrachten.

Das gelang ihm so gut, dass wir es schafften, uns zu arrangieren. Ich war Niclas sehr dankbar dafür, dass er mich nicht zwangseinliefern ließ.

Ein Jahr später belohnte ich ihn dafür.

Ich legte den Stift zur Seite und kehrte dorthin zurück, wo es sich für uns beide normal anfühlte.

Gerade als ich gedacht hatte, ich würde in meinem Formulierungskauderwelsch wieder die Orientierung verlieren, hatten sich die Konturen einer Tür abgezeichnet. Sie lag versteckt zwischen Carlos Zeilen und drängte sich förmlich auf. Ich beschloss, sie zu öffnen. Kaum hatte ich einen Blick über die Schwelle geworfen, stieß ich auf Trojan Tiller. Er entpuppte sich als mein Seelenverwandter.

Ich war endlich nicht mehr allein.

In Vergessenheit geraten, erklärte sich Trojan dazu bereit, meine Gedanken anzustoßen. Er wollte versuchen, meine Erinnerungen in die richtige Richtung zu lenken und reichte mir dazu seine Hand.

Der Griff nach dem Strohhalm

Unser Zusammentreffen hatte vom ersten Augenblick an etwas Konspiratives. Ich erinnere mich noch genau an den Tag. Der Wintereinbruch war früh gekommen in diesem Jahr. Die Sonne schien auf den Schnee. Ich hatte gerade eine Runde mit den Hunden gedreht, den Pferden Wasser gegeben und saß mit einem Becher Kaffee am Ofen, als es an der Tür klopfte, die ich zwischen Carlos Zeilen entdeckt zu haben glaubte.

Adrenalin schoss durch meinen Körper, als ich die Tür öffnete und Trojan erkannte. Mit dem Gefühl, etwas absolut Verbotenes zu tun, bat ich ihn herein. Er hatte sich kaum verändert. Er kam mir allerdings blasser vor und schlaksiger. Aber die Unsicherheit und die Unrast in seinen großen, blauen Augen, an die ich mich noch deutlich zu erinnern vermochte, waren einer tiefen Ruhe gewichen. Im Gegensatz zu früher wirkte er selbstbewusst und lebenserfahren.

Er reichte mir seine Hand. Trocken war sie. Warm. Mit dem perfekten Druck: nicht zu fest und nicht zu lasch. Mein Herz klopfte, aber zu dem Zeitpunkt war ich bereits fest davon überzeugt, dass ich die richtige Richtung eingeschlagen hatte. Die Hunde wedelten als ich ihn hereinbat und er am Ofen Platz nahm.

Während ich noch einen Kaffee aufsetzte, berichtete ich ihm ausführlich wie das letzte Jahr für mich gelaufen war und wie verunsichert ich mich fühlte.

„Hast Du darüber nachgedacht, Carlo von deinem Dilemma zu erzählen?“ „Natürlich. Ich kann an gar nichts anderes mehr denken. Es ist fast wie eine fixe Idee. Ich weiß nur nicht, ob er damit etwas anfangen kann. Das, was ich geschrieben habe, betrifft ja im Grunde nur mich. Ich kann ja nicht einfach so in sein Leben platzen, nur, weil sein Buch bei mir etwas ausgelöst hat. Ich hätte gern das Gefühl, korrekt zu handeln und sachlich zu bleiben. Stell dir vor, ich liege völlig daneben mit meinem Eindruck, er hätte etwas mit dem Karussell zu tun, aus dem ich nicht aussteigen kann.

Ich dachte, ich müsste meine Pubertät aufarbeiten, aber das scheint es nicht zu sein. Wäre es das, gäbe es einen Punkt und ich würde nur noch am Epilog arbeiten müssen. Erfahrungsgemäß weiß ich instinktiv, wann ich mich auf einer Zielgeraden befinde. Es ist als würde mir mein Unterbewusstsein signalisieren, wann ich ihm auf die Schliche gekommen bin. Wie bei einer Schnitzeljagd. Da weiß man auch, wann man sein Ziel erreicht hat. Hier fühlt es sich an, als wäre ich noch keinen Schritt weiter. Das Vorwort ist geschrieben. Mehr nicht.“

„Ein Grund mehr, zu Carlo Kontakt aufzunehmen. Er ist ja ein offener Typ. Ich kann mir vorstellen, dass es Dich weiterbringt. Vielleicht kann er Dir ja die Wut nehmen.“ „Ich schicke ihm einfach meine

Geschichte, das ist unverfänglich. Dann kann er entscheiden, was er damit macht." „Du kannst sie ja lustig verpacken. Vielleicht als Post aus Russland?" „Gute Idee."

Und so gingen wir ans Werk.

Ich druckte aus, was sich im letzten Jahr seinen Weg an die Oberfläche gebahnt hatte und heftete es in einen gelben Schnellhefter. Währenddessen formulierte Trojan sein Anschreiben. Es begann mit den Worten: „Sehr geehrter Herr Carazzo, durch einen Zufall ist mir......". „Vergiss nicht, ihn vorzudatieren", bemerkte ich, als ich ihm über die Schulter blickte.

Im Anschluss daran bereitete es uns höllischen Spaß, im Internet nach schönen, bunten, russischen Briefmarken zu suchen. Wir wurden fündig: herrliche Exemplare aus den 1920 Jahren, Teil einer Briefmarkenausstellung in London, die wir ausdruckten und ausschnitten. Wir gingen daran, den Briefumschlag zu präparieren. Erst schrieb er den Absender mit den kyrillischen Buchstaben, dann frankierte ich die Sendung mit den antiken Marken. Als Stempel diente der Deckel meines Vitamintablettenglases, in den der Hersteller sein Logo gestanzt hatte. Ich färbte den erhabenen Teil schwarz ein und drückte ihn auf die Briefmarken. Fertig!

Carlos Adresse schrieben wir so, dass es glaubhaft erschien, dass ein deutscher Postbote unser Couvert eingeworfen hatte.

Die Fahrt nach Hannover verband ich mit einem Besuch bei meiner Messeagentur. Es war ein neues Messeoutfit geplant und wir wollten die Details besprechen.

Als wir ins Auto stiegen, um in die hannoversche Innenstadt zu fahren, trafen sich unsere Blicke. Trojan zwinkerte mir zu, ich kicherte nervös. In Carlos Straße angekommen, fanden wir sofort einen Parkplatz. Das was wir vorhatten, fühlte sich noch immer richtig an.

Es kam der Augenblick für den ich mir eine Burka gewünscht hätte. Als ich aus dem Auto ausstieg, klopfte mir das Herz bis zum Hals. Ich zog mir mein Halstuch über den Kopf und hastete die Straße hinunter. Trojan wartete im Auto. An Carlos Hausnummer angekommen, huschte ich in den Treppenaufgang. Vor einer Reihe Postkästen hielt ich inne. Sein Name war deutlich zu lesen.

Ich versuchte, den dicken Umschlag in den Briefschlitz zu bugsieren, nicht so einfach, wie sich herausstellte. Der Postkasten schien ziemlich voll zu sein. Bei dem Versuch, den Umschlag wieder herauszuziehen, um ihn weiter rechts erneut ´reinzustopfen, riss der braune Umschlag an einer Stelle ein wenig ein. Ich wurde ganz zappelig. Mit zitternden Fingern faltete ich die russische Post und versuchte erneut, sie in die schmale Öffnung zu stecken. Falten war nicht die Lösung.

Ich fluchte leise in mich hinein. Wahrscheinlich würde Carlo gleich persönlich hier auftauchen um mich zu fragen, ob er mir behilflich sein könne.

Eine Antwort lag mir bereits auf der Zunge: „Aber natürlich, da habe ich aber Glück, dass ich sie persönlich antreffe. Ich komme direkt aus dem Irrenhaus. Man hat mir von dort Post für sie mitgegeben. Leider ist Ihr Postkasten bereits gerammelt voll. Aber nun ist der Brief ja bereits an der richtigen Adresse. Würden Sie bitte hier den Empfang quittieren?"

Nur nicht den Mut verlieren. Ich konzentrierte mich und versuchte es noch einmal.

Ich spürte wie der Brief, der dem braunen Umschlag im Weg gewesen war, einknickte. Die Sendung war angekommen und ich sah, dass ich wegkam. Gebückt, den Blick auf den Bürgersteig gerichtet, eilte ich zurück zu meinem Vehikel. Ich stieg so schnell ein, dass mein Kopf seitlich am Türrahmen herunterschrammte. Während mein Ohr anschwoll und zu pochen begann, saß ich still hinter meinem Lenkrad. Ich schaute zur Beifahrerseite und wir konnten uns gar nicht wieder einkriegen vor Lachen.

Dann kehrten wir in unseren Alltag zurück. Trojan in seinen, ich in meinen.

Denkmäler und fremde Kulissen

Etwa 14 Tage passierte gar nichts, wenn ich von meinem betriebsamen Alltag einmal absah.

Von Carlo keine Reaktion.

Aber was hatte ich denn erwartet, Neugierde? Fragen? Bestürzung?

Irgendetwas! Alles! Nur kein völliges Desinteresse.

Dann holte mich der traumatische Zustand des Vorjahres wieder ein. Nach drei ziemlich schlaflosen Wochen bat ich Trojan, vorbeizukommen und sich das Ergebnis durchzulesen.

„Oha", meinte er, „wenn das mal kein Schlüsselroman werden wollte." Ich schaute das Wort im Lexikon nach und las unter diesem völlig neuen Aspekt noch einmal alles durch. Und Trojan hatte Recht.

OHA!

„Nicht so schlimm", sagte er, „hat wohl ziemlich weh getan.

Und da war der Satz, der der ganzen Geschichte eine ganz neue Wendung geben sollte, und mir einen völlig neuen Ansatz: „Carlo musste, ohne es zu wissen, einen ziemlich wunden Punkt getroffen haben, wenn ich meinte so reagieren zu müssen."

Der Satz ging mir gar nicht wieder aus dem Kopf.

Bis zwei Uhr morgens versuchte ich, ihn auszulöschen und gegen Schlaf einzutauschen, dann gab ich auf. Ich schnappte mir den „Klang einer Jugend“ und taperte die Treppe hoch ins Büro. Dann begann ich, erneut zu lesen. Was mich erwartete, traf mich mit voller Wucht. Die Kurzgeschichte schrieb ich in den Morgenstunden.

Ich krabbelte benommen die Treppe aus dem Büro nach unten und setzte mich auf die Ofenbank. Ich stützte meinen Kopf mit meinen Händen und schloss die Augen. Mir wurde schlecht. Ich öffnete die Terrassentür, ging nach draußen, wo ich mich in den Vorgarten kniete und über den Osterglocken erbrach.

Die Kloßbrühe stand in einer Terrine oben im Büro. Sie war glasklar und dampfte leise vor sich hin.

Nachdem ich ausgiebig geschlafen hatte, nahm ich erneut zu Trojan Tiller Kontakt auf. „Du hättest mich ruhig vorwarnen können nach der Geschichte“. „Ich wollte, dass Du selbst darauf kommst. Dein Psychoonkel liefert dir deine Probleme auch nicht frei Haus. Die musst du dir da auch hart erarbeiten. Das ist zwar teurer, aber auch weitaus effektiver.“

Doch dann begann er das zu erzählen, was ich nur zwischen den Zeilen hatte erahnen können:

„Bis ich 14 Jahre alt war, führte ich das Leben eines Vagabunden. Mein Vater war ein hohes Tier bei einem großen Industrieunternehmen und wir lebten abwechselnd in Südamerika, Hongkong und Japan.

Meinen Vater sah ich so gut wie nie. Wenn er zu Hause war, war er unweigerlich der Herr im Haus. Meine Mutter hatte die Rolle der devoten Ehefrau, mich trug er auf Händen. Als Einzelkind hatte ich sowohl von meiner Mutter als auch meinem Vater die volle Aufmerksamkeit.

Solange mein Vater zu Hause war, ordnete sich meine Mutter seinem Regiment unter. Sobald er fort war, führte sie selbst mit strenger Hand. Sie tat alles dafür, dass ich ein richtiger Mann wurde. Mit acht Jahren schickten mich meine Eltern ins Internat – ein Jungengymnasium. Was andere Kinder oft mit schlechten Erfahrungen verbanden, war für mich herrlich. Neugierig und fröhlich freute ich mich über die vielen „Brüder", die ich als Einzelkind schmerzlich vermisst hatte und fand schnell Anschluss. Zwei Jahre später zogen wir um. Von Guadalajara nach Hongkong, wo mich ein neues Internat erwartete. Mit neuen Brüdern, zu denen ich jedoch nicht so schnell Zugang fand, weil ich meine „Geschwister" in Mexico schmerzlich vermisste.

Hier wurde das Fundament gelegt für Verlustängste, die ich später versuchte, mit Draufgängertum zu kompensieren. Sie etablierten sich, als wir einige Jahre später nach Japan umsiedelten. In einer Welt, die geprägt war von kühlem Gehorsam, gelang es mir nur noch Kontakte zu knüpfen, die wenig Tiefgang hatten. Noch immer hing ich meinen quirligen, temperamentvollen Brüdern in Südamerika nach. Ich lernte, was es hieß einsam zu sein.

Das Umfeld, in dem ich in Mexiko glücklich gewesen war, gehörte der Vergangenheit an. Ich ließ engere Bande zukünftig nicht mehr zu, aus Angst sie zu verlieren. Fortan litt ich darunter, nicht mehr dazu zu gehören. Meine Freundschaften erreichten nie wieder die Intensität wie damals in dem Jungengymnasium. Ich lebte in einem Teufelskreis, der mir seine Existenz verheimlichte.

Kurz nach meinem 14. Geburtstag ließen sich meine Eltern scheiden und ich landete mit meiner Mutter in Hennersbeck bei ihrer Schwester Ella. Tante Ella und Onkel Wilhelm hatten das Hotel meiner Großeltern übernommen. Sie hatten den alten Muff beseitigt und schufen einen Ort, wo sich Rang und Namen begeistert die Hände reichte.

Hier fühlte ich mich anfänglich sehr wohl. Es etablierte sich der Gedanke, angekommen zu sein und nicht mehr fort zu müssen. Unterschwellig waren die Verlustängste jedoch präsenter denn je. Nicht nur meine Brüder waren fort, nun hatte mich auch mein Vater verlassen. Männer bekamen für mich einen neuen Stellenwert. Es wurde zusehends wichtiger, in der maskulinen Welt zu bestehen, was auch bedeutete, dass ich im Freundeskreis alles kopierte, von dem ein pubertierender Junge glaubte, dass es zur Mannwerdung dazugehörte.

Vieles von dem was ich damals tat, verfolgte mich in meine Träume. Wenn ich die Augen schloss, blickte ich in die Augen der Tiere, die meine Hilflosigkeit spiegelten, wenn ich nach ihnen trat.

Der Konflikt zwischen dazugehören zu wollen und dem was mich tatsächlich berührte, brachte mich in eine Zwickmühle. Ich wollte in einem Umfeld leben, in dem ich mich mit Männern umgeben konnte, die mir über den Verlust meines Vaters hinweghelfen sollten. Ich suchte Vorbilder, die so waren wie er. Patriarchen, kontrollierte Geschäftsleute. Dass mir nach Heulen zumute war, wenn ich an meinen Vater dachte, der keine Zeit mehr fand, mich zu besuchen, war mir peinlich. Jungen, die offen zur Schau trugen, was ich zu verdrängen versuchte, waren „Weicheier"! Das war überall in meinem Umfeld manifestiertes Gedankengut. Es gab für mich also keinen Weg heraus, der über meine wahre Gefühlswelt führen würde. Ich brauchte eine Lösung, die mir attestierte, dass ich harter Bursche war. Ich begann, wütend um mich zu schlagen, um zu verhindern, dass mein Umfeld meine Verletzbarkeit erkannte. Weil ich mich dabei so elend fühlte, musste ich meine Taten glorifizieren. Das war der Beginn einer Strategie, die von Erfolg gekrönt sein sollte. Je besser ich verpackte, was für mich eine Gräueltat war, umso besser kam ich in meinem Umfeld an.

Mit der Anerkennung aus meinem Umfeld fühlte ich mich vor mir selbst rehabilitiert. Wenn alle toll fanden, was ich tat und sagte, konnte daran nichts Schlimmes sein. Endlich hatte ich das Gefühl, wirklich dazu zu gehören. Es waren die ersten Schritte von Carlo Carazzo.

In der Zeit, in der sich Carlo zu etablieren begann, attestierte mir Onkel Wilhelm, dass ich ein ganz besonderer Mensch sei. Ohne zu wissen, was er damit anrichtete, nahm er Carlo an die Hand und lenkte seine Gehversuche in die „richtige“ Richtung. Eine Welt, an die er verzweifelt Anschluss suchte: die Welt der Männer. Mir, Trojan Tiller, ebnete er den Weg in die Vergessenheit.

Als „Vaterersatz“ stand Onkel Wilhelm sicher auf einem Sockel, zu dem Carlo aufblickte. Indem er Carlos Scheinwelt seinen Zuspruch signalisierte, reichte er ihm in dem Prozess Laufen zu lernen die Hand. Der Gedanke daran, eines Tages oben neben dem Onkel auf einem Sockel zu stehen, war verlockend. Dort oben wähnte sich Carlo sicher und unantastbar. Der Blickwinkel wäre damit von oben herab, auf eine Welt, die dafür sorgen sollte, dass er seine wahren Gefühle vergaß. Mit Carlo Carazzo begann auch die Wut zu wachsen, die Carlo fortan ausmachen würde. Das Weichei Trojan Tiller begann zu verblassen.

Da ich derjenige von uns beiden war, der erfolgreich enge Kontakte knüpfte, versuchte ich anfangs, auch mit Carlo Schnittmengen zu finden. Vergebens. Ich merkte ziemlich schnell, dass der Ort mit der schönen Aussicht, den er da gerade anstrebte, auch seine Tücken hatte.

Wenn die Finger, mit denen man sich sonst auch an die eigene Nase fasste, ununterbrochen damit beschäftigt waren, auf diejenigen zu zeigen, die man für das eigene Unglück verantwortlich machte, wurde es schwierig.

Ich wies Carlo darauf hin, dass Selbstkritik einen erheblichen Einfluss darauf hatte, sich weiter zu entwickeln. Er hatte sich wütend zu mir umgedreht, mir seinen Finger in das Brustbein gebohrt und gesagt: „Du hast mir gar nichts zu sagen, Du machst ja sowieso nur, was Mami Dir sagt."

Dass das nicht stimmte, wusste er sehr genau. Er hatte allerdings bereits von der Höhenluft geschnuppert. Er wollte auf den Sockel, koste es was es wolle. Je mehr Bedenken ich äußerte, umso mehr begann er sich von mir abzuwenden. Dazu nahm er jede fremde Hilfe in Anspruch, die er bekommen konnte. Er begann, sich für sein Leben neu aufzustellen Da er sich auf diesem Weg noch recht unbeholfen bewegte, war er für jede Form von Fremdbestimmung offen.

Um seine, wie er mittlerweile fand, stinklangweilige Persönlichkeit zu überdecken, suchte er in seinem Umfeld nach Heroischem, mit dem er sich schmücken konnte. War er von etwas begeistert, machte er es sich zu eigen. Egal worum es sich handelte, Verhaltensweisen, Musik oder Literatur. Er kopierte alles, was in sein Konzept passte und ihn begeisterte. Ich wurde zur Pinnwand und verschwand mehr und mehr unter einem bunten Sammelsurium von Fremdleistungen, die Carlo jedoch gekonnt für seine Zwecke einzusetzen vermochte. Je mehr Gehör ich mir zu verschaffen suchte, umso zorniger wurde er.

Als er begann seiner Wut freien Lauf zu lassen, fing auch ich an, mich vor ihm zurückzuziehen. Doch das half wenig. Im Gegenteil. Es war ihm gelungen, mich von sich zu distanzieren. Er begann, seinen Hass zu kultivieren, weil dieser die Worte übertönte, mit denen ich versuchte, ihm ins Gewissen zu reden. Es begann eine Spirale des Zorns.

Und noch etwas hatte er entdeckt. Er konnte mich nicht nur aus seinem Bewusstsein drängen, indem er um sich schlug, sondern auch wenn er seine Emotionen verkleidete. Eine neue Taktik, die mit der Zeit immer besser funktionierte. Ein tolles Werkzeug, wenn es galt, von sich abzulenken und trotzdem im Mittelpunkt zu stehen. Kam er in Bedrängnis, weil er etwas fühlte, das er nicht fühlen wollte, wurde es ganz einfach, sich aus der Affäre zu ziehen. Er verpackte seine Empfindungen in eine lustige Geschichte und katapultierte sich damit in eine Welt, in der man lachte und nicht mit sich haderte.

Mit diesem System kam er ziemlich weit, vor allem bei einem Publikum, das in seiner eigenen Wut Dinge tat oder getan hatte, für das es sich im Grunde seines Herzens schämte. Es war ihm unendlich dankbar dafür, dass er die Untaten so lustig bekleidete, dass sie salonfähig wurden.

Dass sie sich damit klammheimlich aus dem Staub machten, wenn es darum ging, sich mit Konsequenzen und Verantwortung zu tragen und so etwas wie Empathie zu entwickeln, *wollten* sie gar nicht wissen. Carlo las Nietzsche und verstand: „Wenn die

Dankbarkeit vieler gegen einen alle Scham wegwirft, entsteht der Ruhm.“ Er wollte über den Sockel hinaus. Die Geschichten, mit denen er seine Gefühle diffamierte, fanden überall offene Ohren. Die Leiter an einem Denkmal stand auf festen Füßen. Die ersten Sprossen hatte er bereits erklommen.

Alle klopften ihm auf die Schulter. So musste es sich anfühlen, ein Mann zu sein. Endlich passierte das, was ihm über seine Verlustängste hinweghelfen sollte. Seine Haltung wurde aufrechter, seine Brust schwoll und es hätte ihn nicht gewundert, wenn er der heimliche Sohn von Clint Eastwood und einer heißen, mexikanischen Braut gewesen wäre. Er war umringt von den Vorboten seines Sex Appeals!

Wie Carlo feststellen musste, gestaltete sich das Procedere mit der Sprossenleiter nicht immer so einfach. Es gab nicht nur die Zeiten des Zuspruches, sondern auch viele Momente der Einsamkeit. Er hatte sich bereits von dem distanziert, was wie eine dunkle Masse an den Fuß seiner Leiter schwappte, war aber noch weit davon entfernt, sein Ziel erreicht zu haben. Es war nicht immer jemand da, der ihm die gewünschten Fremdleistungen gab. Das waren die Augenblicke, in denen er sich wieder auf mich besann.

Einsam und kalt stand er dort auf seinem Weg nach oben, hielt sich an den Sprossen fest. Der Wind wehte ihm um die Nase und er hatte niemanden, mit dem er reden konnte.

Wenn ich ihn dort so stehen sah, mit seinen roten Wangen und den klammen Fingern, löste ich mich aus der Dunkelheit. Ich krabbelte zu ihm auf seine Leiter und hielt ihn fest. Auch wenn es ihm schwerfiel, meine Gesellschaft zu ertragen, fühlte es sich für ihn immerhin so schön an, dass in dieser kurzen Weile alles aus ihm heraussprudelte. Alles worüber er mit niemandem sprechen konnte.

Da stand er, der kleine Junge und stellte die Fragen, die er nur mir stellen konnte, und die wir nur gemeinsam hätten beantworten können, aber leider noch nicht in diesem Augenblick.

Carlo wollte überall sein, um sicher zu gehen, dass es immer jemanden gab, der sich um in kümmerte. An seinem Ursprung, auf der kalten Leiter und oben auf dem Sockel, wo der Wind auch eisig werden konnte. Er suchte jemanden, auf den er sich verlassen konnte, und verstand nicht, dass ich, Trojan, der einzige war, der ihn bedingungslos so liebte wie er war, auch ganz und gar ohne eine schöne Aussicht und ohne all die schönen Geschichten, in denen er seine Empfindungen begrub.

Er *konnte* einfach nicht bleiben. Sobald die Sonne aufging und begann ihn zu wärmen, schüttelte er mich ab. Er hielt es nicht mehr aus. Er wollte nicht so sein, wie er sich in dem Spiegel sah, den ich ihm vorhielt. Damit stieß er mich von sich fort.

Ich fiel zurück in das, was er für Morast hielt und ich für fruchtbaren Boden."

Trojan machte eine Pause und atmete tief durch. Während ich an den Kühlschrank ging, um ihm ein Glas Wasser zu besorgen, erzählte er weiter.

„Es war oft nicht schön zu sehen, was mit ihm passierte, nachdem er sich von dem verabschiedete, was ihm seelische Qualen verursachte. Den Mangel an Selbstachtung kompensierte er mit körperlichen Schmerz. Der kam nicht plötzlich und unerwartet, ohne dass er einen Ausweg erkennen konnte, sondern nur dann, wenn er sich die Arme aufschnitt, die Zigaretten auf seinem Handrücken ausdrückte oder sich mit Sicherheitsnadeln neue Ohrlöcher bohrte. Es war ein Schmerz, den er zu 100 Prozent kontrollierte! Er kam nur, wenn er ihn ausdrücklich darum bat. Voraussehbar, nichts das ihm gefährlich werden konnte. Ein schöner Zustand mit ausschließlich positiven Nebenwirkungen Denn mit dem Schmerz kam auch die Beachtung, nach der er sich so sehnte. Es fühlte sich an, als nähme er zwei Stufen zur gleichen Zeit auf seiner Sprossenleiter.

In der Gruppe, die ihm in seiner Rolle als Alleinunterhalter applaudierte, war er das Maß der Dinge. Er entschied, wann etwas stinklangweilig war oder saublöd. Niemand hätte sich angemaßt ihn zu hinterfragen. Niemand fragte nach dem Gesicht hinter seinen Geschichten. Schließlich standen sie mit ihm im Rampenlicht. Die Aufmerksamkeit, die er ihnen bescherte, ohne dass sie etwas dazutun mussten, bezahlten sie mit ihrer Dankbarkeit und ihrer Loyalität. Er fing nicht nur damit an, seine Schmerzen unter Kontrolle zu haben, sondern auch sein Umfeld.

Das Ergebnis war ein herrliches Gefühl von Stärke und Macht.

Als er begann, mit Drogen zu experimentieren, bekam ich noch einmal die Chance, ihm sein tatsächliches Gefühlsleben vor Augen zu führen. In der Euphorie, mit der er sich in das Abenteuer „Bewusstseinserweiterung" hineinstürzte, ließ ich ihn noch einmal spüren, was er so schön verpackt zu den Akten gelegt hatte. Ich hoffte, dass es eine Veränderung mit sich bringen würde, wenn er sich als seine eigene Karikatur entlarvte: Die Geschichten, für die er gewöhnlich ein Schulterklopfen erntete, mutierten zur Lüge. Er ertappte sich dabei.

Das Leben, das er sich ersann, fühlte sich ein letztes Mal falsch an. Er schämte sich dafür. Ohne seine bunten Mogelpackungen fühlte er sich hohl und allein. Er fror. Ich stand ihm gegenüber, ohne dass er auf mich vorbereitet gewesen wäre. Ich öffnete meine Arme und gab ihm eine letzte Möglichkeit, seine Geborgenheit auf feste Füße zu stellen: seine Eigenen.

Ich bot ihm an, in seine eigene Sinneswelt heimzukehren. Zurückzufinden zu Gefühlen, auf die er sich verlassen konnte, die seine eigene Persönlichkeit entfalten würden und verhinderten, dass er sich in seinen Geschichten verlor. Er zog einen anderen Schluss. Er war bereits zu weit oben auf der Leiter.

Er beschloss, mir keine Möglichkeit mehr zu geben, ihn von dem Weg abzubringen, den er mittlerweile für den seinen hielt. Es war vorerst das letzte Mal, dass er Drogen nahm. In Zukunft erzählte er seine Anekdoten nicht mehr so schnell, dafür ohne ein schlechtes Gewissen. Um seinen Standpunkt zu untermauern und mir zu signalisieren, dass er für mich in Zukunft unerreichbar sei, machte er aus seiner Scheinwelt eine Philosophie: Nichts ist wahr, alles ist erlaubt.

Einige Jahre später, als er sich in seinem Kosmos etabliert hatte und sicher auf seinem Denkmal stand, begann er sich plötzlich wieder einsam zu fühlen. Und während er dort oben stand und in die Ferne blickte, beschloss er, seine Geschichten zu sammeln und zu veröffentlichen. Das war die perfekte Möglichkeit, sein Sorgen loszuwerden und gleichzeitig um sich herum viele weitere Denkmäler zu schaffen. Er beschaffte die Sockel, auf die er seine Protagonisten stellen wollte. Sie würden in ihrer Dankbarkeit dafür sorgen, dass er sich nie wieder einsam fühlte. Voraussetzung dafür war, dass sie sich wiedererkannten.

Es sollte ein schönes, großes, ganz besonders lustiges Paket werden, in dem all die kleinen Päckchen, die er in den letzten Jahren bereits geschnürt hatte, ihren Platz bekamen. Sie sollten dort mit mir zusammen ihre letzte Ruhe finden.

Da hockten wir alle beisammen: Die bunte Sammlung seiner traumatischen Erlebnisse, seine Kindheit, seine Geborgenheit und ich, Trojan. Er hatte uns mit einer schönen Schleife versehen und auf dem Rücken eines temperamentvollen, schwarzen Pferdes gebunden. Noch hielt er es an der Hand. Ich sah in seinem Gesicht wie erstaunt er darüber war, mit wieviel Sorge es verbunden war, seinem eigenen Leben, seiner Trauer und seiner Empathie Lebewohl zu sagen. Mit einem Ruck öffnete er die Hand, die das Pferd gehalten hatte. Das Ross stob mit uns davon. Ich sah noch wie erleichtert er aussah, als er sich von sich selbst lossagte. Wie von einer Last befreit. Wir verschwanden am Horizont. Er sah uns nicht nach.

Dann änderte er seinen Namen, nur um ganz sicher zu gehen, dass wir niemals zu ihm zurückfinden würden.

Er räusperte sich und trank das Wasser, das ich ihm hinstellte in großen Zügen. Ich wusste genau, was in ihm vorging!

Neue Blickwinkel

Als ich Carlos Anekdoten das erste Mal las, las ich sie schnell. Ich blieb an der Peripherie und wollte gar nicht wissen, was er zu sagen hatte.

Als die Wut an meine Tür klopfte, hatte ich sie nicht erwartet und konnte sie mir auch nicht erklären. Alle Versuche, mir Klarheit zu verschaffen, führten nur zu noch mehr Unverständnis. Schließlich arbeitete Carlo ja *seine* Baustelle auf.

Er glorifizierte seinen Freundeskreis. Seine Familie stellte er schonungslos an seinen Pranger. Seinen Vater allen voran: gewissenloser Frauenheld, der sich nicht um die Kinder scherte, die er in die Welt setzte.

Gleich dahinter seine Mutter, die emotionslose Frau, die ihn nur in die Welt gesetzt hatte, um an das Geld seines Vaters zu kommen. Mit 8 Jahren hatte er ein Alter erreicht, in dem man ihn getrost abschieben konnte. Auch wenn er anfänglich glücklich gewesen war, hatte das Wirtschaftssystem, für das sein Vater arbeitete, für eine regelmäßige Entwurzelung gesorgt. Es legitimierte und finanzierte sogar seine Abschiebung. Damit war auch die Gesellschaft zum Abschuss freigegeben.

Die Liste derer, die Carlo für sein Unglück verantwortlich machte, nahm kein Ende. Er war gegen alles. Vor allem gegen diejenigen, die seine Erwartungen nicht erfüllten.

Er war zornig, schlug gedankenlos um sich und traf auch diejenigen, die es am wenigsten verdient hatten.

Onkel Wilhelm hatte sich ebenfalls nicht als der Mann entpuppt, für den er ihn gehalten hatte. Er hatte sich mit einer Angestellten eingelassen, sie geschwängert und sich von Tante Ella scheiden lassen. Die Enttäuschung über die Männer in seinem direkten Umfeld erreichte seinen Höhepunkt. Als Tante Ella beschloss, das Hotel zu verkaufen und nach Hannover zurückzukehren, verabschiedete auch er sich von Hennersbeck und zog zu ihr in die Altbauwohnung.

Sie war die erste Frau, die sich so um ihn kümmerte, wie er sich das gewünscht hatte. Präsent, ohne sich aufzudrängen, warmherzig, selbstbewusst und zielstrebig. Er suchte eine Frau, die genauso war wie sie, nur 40 Jahre jünger. Trotzdem blieb er ihr treu.

Als Tante Ella plötzlich und unerwartet starb, befand er sich im freien Fall. Er war so einsam wie nie zuvor. Als ihn Sarah auffing, hatte er bereits den Entschluss gefasst, seine Geschichten zu schreiben. Den Verlust von Tante Ella nahm er zum Anlass, mit allen abzurechnen, die ihm die Aufmerksamkeit vorenthielten, die sie ihm bereitwillig geschenkt hatte. In seiner Trauer schrieb er sich die Wut über all seine Einsamkeit von der Seele

Dabei teilte er den Ort, in dem er seine Jugend verbrachte, in zwei Lager.

Nach seinem Gutdünken und auf seine lustige Art hob er Diejenigen empor, die ihm die gewünschte Beachtung geschenkt hatten. Die Übrigen stellte er an die Wand.

Schwarz auf weiß, mit ehrlich gemeinten Emotionen, sorgte er für gute Unterhaltung. Indem er den Zeitgeist traf, schuf er nicht nur Tante Ella ein Denkmal.

Lose Enden

Im Gegensatz zu anderen Beteiligten verpasste mir Carlo eine Rolle, die so konträr zu dem stand, was ich dachte und empfand, dass ich vermutete, dass daher mein Ärger rührte. Ich stand da. Sichtbar. In einem hässlichen, unpassenden Kostüm, das überall scheuerte. Carlo schien sich für etwas an mir rächen zu wollen, für das ich nicht die Verantwortung trug.

Meine Hilferufe verhallten, niemand reichte mir die Hand. Überall Kopfschütteln. Jeder fand die Schilderungen lustig, weil er entweder nicht Teil der Geschichte war und somit nicht hinter die Kulissen schauen konnte oder er war stolz darauf, Teil der Geschichte zu sein, und damit gar nicht daran interessiert, die Geschehnisse zu hinterfragen. Das war der Moment, in dem sich meine Wut mit meiner Verzweiflung vereinigte. Ich begann zu schreiben.

Wie von allein richtete sich der Blick in die richtige Richtung. Mit genügend emotionalem Abstand berichtete ich erst einmal, wie mein Leben bisher verlaufen war. Ich schlenderte über das Gras, das ich über meine Leichen hatte wachsen lassen. Gepflegter, englischer Rasen. Alles sauber und ordentlich.

Die Zusammenhänge zu begreifen, davon war ich weit entfernt. Dass es sich hier um ein erstes Herantasten handelte, erschloss sich mir erst sehr viel später.

Die Vermutung, dass es sich bei dem, was ich Carlo in den Postkasten warf, erst um das Vorwort handelte, entpuppte sich als richtig. Es beinhaltete den Wunsch, dass Carlo meine Baustelle abarbeitete, indem er seinen Irrtum bedauerte. Meinen Wunsch erfüllte er nicht. Sehr unerfreulich. Zumal mich daraufhin die Wut erneut antrieb.

Vorerst leitete sie mich auf einen Umweg. Nicht ohne Zweck.

Ich schrieb weiter, mit der Ausdauer einer Waldameise. An Carlos Geschichte. Es wurde ein hübscher kleiner Schlüsselroman. Mit Carlo in der Hauptrolle. Ich machte ihn zu einem netten kleinen Bauarbeiter. Unter dem Vorwand, dass er einen Rachefeldzug gegen mich führte, weil ich nicht in ihn verliebt gewesen war, musste er auf meiner Baustelle sein Leben lassen. Meine Rache dafür, dass er sich weigerte Abbitte zu leisten.

Trojan haute mir die Version mit Recht um die Ohren. OHA!!

Ich zog mich um. Blaumann! Ich setzte meinen Helm auf und begab mich auf die Suche nach Utensilien, die mir auf meiner weiteren Odyssee gute Dienste leisten würden.

Morgendämmerung

Indem mich Carlo in eine Welt zog, die mir zwar bekannt vorkam, aber nicht meine eigene war, weckte er in mir das kleine 5-jährige Mädchen. Erstaunt stellte es fest, dass es sich erneut dem Szenario stellen musste, das es bereits einmal erfolgreich hatte verdrängen können. Unglücklicherweise wählte Carlo für das Kind sogar noch das passende Transportmittel – den Zug! Er war zynisch, ohne es zu wissen.

Hatte ich als kleines Mädchen das Ende der Fahrt mit Neugierde erwartet, war mir zu dem Zeitpunkt, als Carlo mich für seine Zwecke zu missbrauchen schien bereits klar, dass diese Bahnfahrt für mich keine schönen Aussichten bereithielt. Mit anderen Worten: ich wollte hier nicht sein, auf gar keinen Fall. Ich stemmte die Füße in den Boden und weigerte mich einzusteigen.

Am Anfang hatte ich noch versucht, meinen Ärger zu unterdrücken und so zu reagieren wie mein Umfeld: Stell dich doch nicht so an, ich weiß gar nicht, was du hast. Meine Wut legte mich lahm. Ich stand vor einem Rätsel.

In meiner Verzweiflung hakte sich meine kleine Vergangenheit bei mir ein. Sie versuchte mir zu erklären, dass ich bereits ein gutes Stück des Weges hinter mich gebracht hatte, es nun aber an der Zeit wäre, den Weg zu Ende zu gehen. Auch wenn ich begonnen hatte, Blicke hinter meine Kulisse zu werfen, reichte das nicht, um mich mit dem, was sich noch im Dunklen dahinter verbarg, zu versöhnen. Anscheinend war ich noch lange nicht dort angekommen, wo ich hinsollte.

Ich wollte nichts davon hören. Für mich war das Thema abgeschlossen. Das Leben fühlte sich für mich gut genug an, um es genau wie es jetzt war weiterzuführen.

An dem Tag, an dem ich mich an Trojan Tiller erinnerte, begann sich mein Horizont zu weiten.

Er reichte dem 5-jährigen Mädchen die Hand und sorgte dafür, dass ich begann, in die richtige Richtung zu schauen. Die beiden wollten mir genau erklären, warum ich so auf Carlo reagierte, warum ich so reagieren musste. Sie wollten, dass ich endlich dorthin schaute, wo es wirklich weh tat!

Sie drehten an den Knöpfen in meiner Seele und schickten mir die Kurzgeschichte

Dunkles in Licht war gleichbedeutend mit Licht ins Dunkel.

Von Macht und Machtlosigkeit

Als sie die Tür zu seinem Leben aufstieß, wusste sie nicht, was auf sie zukommen würde.

Der Schlag traf sie völlig unerwartet und direkt in die Magengrube.

Ganz plötzlich stand er vor ihr, breitbeinig, das Becken leicht nach vorne gekippt, genauso wie sie ihn in Erinnerung hatte.

Sein Lächeln strahlte wie immer mit Wucht.

Noch bevor sie etwas tun konnte, packte er sie an ihrem Zopf und zerrte sie auf seine Bühne.

Ihre Worte: „Carlo, tue das bitte nicht!“ gingen in dem Beifall unter, der von den dunklen Rängen der Zuschauer zu ihnen heraufschallte. Sein Griff war grob, als er sie zu sich ans Lagerfeuer setzte. Ohne sie aus den Augen zu lassen, betrank er sich und biss genüsslich in eine gebratene Gänsekeule. Das Fett, das ihm am Kinn herablief, wischte er sich mit dem Rücken seiner Hand aus dem Gesicht, dann zwang er sie vor allen Leuten auf sein Tigerfell.

Ekel und Widerwille stiegen in ihr auf. Sie wollte nicht hier sein!!

Ohne dass ihr jemand zur Hilfe kommen konnte, verpasste er ihr eine mongolische Kluft und brachte sie zum Bahnhof. Sie wehrte sich heftig gegen die Vorstellung, mit ihm in eine Eisenbahn steigen zu müssen, die sie in eine eisige Welt katapultieren sollte. Es war zwecklos.

Als sie weit genug von zu Hause fort waren, begann er, sich um sie zu kümmern. Es nützte ihr wenig, dass sie sich wand, als sich seine feuchten Hände einen Weg durch die Falten ihres Kleides suchten. Als sie merkte, dass sie ihm völlig ausgeliefert war, blickte sie aus dem Zugfenster und versuchte, sich so weit in der sibirischen Schneelandschaft zu verlieren, dass sie die Machtlosigkeit, die sie empfand, nicht mehr spürte. Sie spürte sehr wohl, welche Gewalt ihr seine Gedanken antaten.

Als er mit ihr fertig war, führte er sie an den Bühnenrand und stieß sie hinab in die Dunkelheit der Ränge. Dort blieb sie einen Augenblick wie betäubt liegen und hörte gerade noch, wie er seinen Lesern erzählte, wie willkürlich sie mit ihren Reizen umging und wie gut sie sich dabei fühlte.

Das Publikum applaudierte!

Sie hatte sich noch nie so ausgeliefert gefühlt, wie in dem Augenblick, als die Frustration Carlos soweit ging, sich vor den Augen johlender Zuschauer, das zu nehmen, was sie ihm nicht freiwillig zu geben bereit war.

Ich schnappte nach Luft. Die ersten Teile fügten sich zusammen und begannen Gestalt anzunehmen.

Ein weiterer Schritt war getan.

Ich war so weit gegangen, das Gefühl zuzulassen, mit dem mich Carlo konfrontierte. Das musste erst einmal reichen.

Auch wenn die Konturen verschwommen waren, sah es für mich so aus, als hätte sich vor meinen Füßen ein Abgrund aufgetan.

An diesem Abgrund hatte ich oft genug gestanden, jetzt beherbergte er nicht nur meine traumatischen Erinnerungen, sondern auch Carlos Phantasien.

Statt die Augen weiter zu öffnen, machte ich sie lieber wieder zu. Dann legte ich die Hände in den Schoß und das Thema zu den Akten. Schließlich wollte ich niemandem zu nahetreten, am wenigsten mir selbst.

Und so wehten die Enden meiner gesponnenen Fäden lose im Wind und bedurften dringend noch einiger Knoten.

Karten werden neu gemischt

Was meine Person betraf, lagen meine Hände dort, wo sie waren erst einmal goldrichtig. Ich besorgte mir den Abstand, den ich brauchte und stürzte mich in die Arbeit auf unserem Betrieb. Und davon gab es jede Menge!

Niclas schickte ein Stoßgebet gen Himmel und das, obwohl er behauptete Atheist zu sein. Wir hatten tatsächlich viel zu tun. Den Betrieb meiner Eltern zu übernehmen, war gar nicht so leicht. Weder zwischenmenschlich, noch was die Dinge betraf, die in den letzten Jahren liegen geblieben waren, weil meine Eltern einfach nicht mehr die Kraft gehabt hatten, sich damit zu beschäftigen. Im Laufe des letzten Jahres hatten wir alte Bausünden abgerissen und die Strukturen des Betriebes an unsere Bedürfnisse angepasst. So langsam erstrahlte das alte Gemäuer in neuem Glanz. Die Gemüter meiner Eltern begannen sich zu beruhigen. Mit Schweiß auf der Stirn begann ich mich, nun den Nebenschauplätzen zu widmen und die Rummelecken zu beseitigen, die im Laufe unserer Umbaumaßnahmen entstanden waren.

Trojan Tiller und das Kleinkind spielten derweil Bauernskat. Es näherte sich unaufhaltsam der Tag, an dem sie aufstanden, um mich daran zu erinnern, dass man richtigen Skat zu dritt spielt.

Mitte Januar sollte Niclas in Heidelberg, seiner alten Heimat, in der Reitschule seines Kumpels Hannes einen Vortrag über die Ausbildung von Pferden halten. Geplant waren zwei Tage, damit die beiden endlich wieder einen Abend zusammen verbringen konnten. Niclas freute sich darauf, dass ich Hannes und seine Frau Birte endlich kennenlernen würde.

Die beiden hatten Köstliches zubereitet, der Rotwein war ausgezeichnet.

In unserer ausgelassenen Stimmung kamen wir auf Bücher zu sprechen, die uns in der letzten Zeit gefesselt hatten. Als ich „Klang einer Jugend" von Carlo Carazzo erwähnte, schossen Niclas` Augenbrauen in der gleichen Geschwindigkeit nach oben, wie sich seine Mundwinkel nach unten bewegten. Hannes merkte sofort, dass es sich hier um ein Reizthema handelte und beschloss, gar nicht erst darauf einzugehen.

Als ich erwähnte, dass ich mich in Carlos Buch wiedergefunden hatte und sich das für mich als Problem darstellte, fiel er mir ins Wort. Wahrscheinlich hatte ich es meinem Schwips zu verdanken, dass mir gar nicht aufgefallen war, dass sich außer uns vieren, zwei weitere Personen in dem Raum befanden. Es entging meiner Aufmerksamkeit, dass sich das kleine Mädchen auf Hannes Schoß setzte um, ihm die Worte in den Mund zu legen, die dazu führten, dass ich ihr Spiel wieder mitspielte.

Er sagte, dass ich mir da gehörig etwas einbildete und dass er mir dringend rate, mich in psychologische Behandlung zu begeben.

Es fühlte sich an, als hätte er mich gerade für verrückt erklärt, mir eine Zwangsjacke angelegt und einen Krankenwagen bestellt, der mich in die Psychiatrie bringen sollte. Er hatte den Boden unter meine Füßen geöffnet. Ich befand mich im freien Fall.

Die Vorstellung davon, eine Zwangsjacke zu tragen und geknebelt darauf zu warten, dass man jede Menge Psychopharmaka in mich hineinstopfte, war genau die, vor der ich mich in meinem Leben am meisten gefürchtet hatte. Ich würde mich nie wieder einsperren lassen!!

Meine Nerven ächzten und brachen einfach unter mir zusammen.

Ich rastete das erste Mal in meinem Leben so richtig aus. Ich hatte mich überhaupt gar nicht mehr im Griff. Im Beisein wildfremder Menschen!! Ich heulte und schrie, dass ich mit Carlos Phantasien nichts zu tun haben wollte. Ich wollte mir nicht vorstellen, dass er sich bei dem Gedanken, mit mir auf dem Tigerfell zu liegen, abends im Bett einen runterholte. Ich wollte mir nicht vorstellen, wie sein Sperma an seiner Hand glänzte, während er die Tür zum Badezimmer öffnete, um sich dort die Hände zu waschen. Nur ein Auszug dessen, was sich ungefragt seinen Weg über meine Lippen bahnte.

Niclas war mit der Situation überfordert. Er ging ins Bett. Birte verabschiedete sich kurze Zeit später. Sie hatte den Stein schließlich nicht ins Rollen gebracht. Der arme Hannes saß nun alleine da und hätte sicher nicht gezögert, meine Phantasien in die Tat umzusetzen. Ich hätte es ihm nicht übelgenommen.

Während Hannes versuchte, das Fass zu schließen, das hier überlief, saßen die beiden Kartenspieler bereits am Tisch und mischten die Karten. Ein Stuhl stand schon für mich bereit, ich würde nicht mehr lange auf mich warten lassen.

Ich rechne es Hannes hoch an, dass er am Ende der Nacht anbot, mit mir nach Hannover zu fahren und Carlo Carazzo mal ganz gepflegt in die Fresse zu hauen. Eine Option, die für mich nicht in Frage kam!!!

Wirklich nicht? War hier eine Tür, die ich ignorierte? Als ich mich am nächsten Tag von Birte und Hannes verabschiedete, stand sie jedenfalls weit offen.

Einige Tage später rief ich Hannes an, um mich bei ihm zu entschuldigen. „Da musst Du noch mal ran“, sagte er.

„Ich weiß“, antwortete ich. Dann ging ich durch die offene Tür und beschritt den Weg in eine neue Richtung.

Ich setzte mich auf den Stuhl, den man für mich freigehalten hatte. Das Blatt lag vor mir auf dem Tisch. Ich nahm es auf und begann, die Karten zu sortieren.

Ich erhob meinen Blick und schaute meinen Mitspielern in die Augen. Puzzeln war ja ganz nett, aber es war eine schöne Abwechslung auch einmal Karten zu spielen. Es konnte losgehen.

Skat beginnt mit Reizen!

Der Zweck heiligt die Mittel

Indem er anbot mich zu begleiten, wenn ich meiner Aggression ein Gesicht gab, legitimierte Hannes mein Bedürfnis, um mich zu schlagen und mich zu wehren. Je mehr ich versuchte zu unterdrücken, was sich hier konsequent seinen Weg an die Oberfläche bahnte, umso ärger würden die Eruptionen werden. Für einen Vulkan gab es keine Deckel! Das letzte Mal war mir nach kotzen, diesmal nach heulen und rumschreien. Ich wollte mir gar nicht ausmalen, was als nächstes kommen würde.

Kontrollverlust! Meine Fassade begann zu bröckeln.

Wieder daheim, nahm ich die mittlerweile ziemlich abgegriffenen Seiten von Carlos Geschichte aus dem Bücherregal und schlug sie auf. Die Reise ging weiter. Zwischen seinen Zeilen, um meine Perspektiven auszuloten.

Aus meinem neuen Blickwinkel kam mir der Inhalt vor wie ein Gemetzel. Es wirkte vom ersten Augenblick auf mich wie eine Abrechnung mit allem, was ihn jemals in Frage gestellt hatte. Er schien nicht nur sein Umfeld zu denunzieren, sondern auch sich selbst.

Was wollte er damit bezwecken? Lieferte er sich den Freifahrschein für eine Straße, auf der er seine eigenen Skrupel überfuhr? Beichtete er für die Absolution?

Der Erfolg hätte einer solchen Strategie Recht gegeben. Zöge er daraus eine Konsequenz, wäre es in Zukunft für ihn gar nicht nötig, sich um die Trümmer zu scheren, die er überall hinterließ. Er könnte einfach weiterfahren. Stellte sich etwas in den Weg – rumms – Beichte – tosender Applaus. Weiter ging es, ohne Rücksicht auf Verluste! Jede Seite, die ich las, lieferte mir Gründe aufgebracht zu sein.

Es sah aus, als hätte ich endlich ein Ventil gefunden, und mein Gehirn entsandte Armeen von Randnotizen, die seinen Text flankierten. Meine Ausdrucksweise war zugegebenermaßen nicht sehr sachlich, aber dafür ungeheuer effektiv! Es fühlte sich *sehr* gut an!

Hatte ihm das, was auf mich wirkte wie ein Amoklauf, das was ihn Fragen in einen Raum stellen ließ, in dem es keine Aussicht auf Antworten gab, tatsächlich so etwas wie eine Erlösung gebracht? Er rannte los, schoss seine Fragen ab und demontierte im gleichen Augenblick alles, was ihm eine Antwort auf seine Frage hätte liefern können. Sein Verhalten war für mich überhaupt nicht nachzuvollziehen.

Es gab so viele Situationen, in denen ich Carlos Ohnmacht nachfühlen konnte. Während ich noch an den Orten stand, wo sich Dinge ereigneten, bei denen sich mein Herz zusammenzog, zog er schnell weiter und schuf imaginäre Fakten, die er brauchte, um seine Flucht zu rechtfertigen. Er legitimierte auf schillernde Art und Weise, dass er seinen Kopf in den Sand steckte.

Irrtum ausgeschlossen, lief er nicht Gefahr, sich anderen Tatsachen stellen zu müssen. Er brauchte sich also nie umzudrehen, um zu überprüfen, ob er tatsächlich die richtigen Schlüsse gezogen hatte. Schaltete man die Faktoren Logik und Empathie aus, war man für immer davor sicher vor Scham im Boden zu versinken. Wenn man sich seinen Empfindungen nicht stellte, gab es keinen Anlass, in Zukunft sein Verhalten zu verändern.

Weiter gedacht hieß das auch, dass niemand in der Lage sein würde, an seinem Thron zu rütteln oder die Säule ins Wanken zu bringen, auf der er saß. Indem er auch die Emotionen seines Umfeldes genau dahinsteckte, wo er sie am besten brauchen konnte, saß er gemütlich, warm und trocken.

Zu dem Zeitpunkt kam mir das Buch vor wie ein Instrument der Macht, das ihm ermöglichte, ungestraft mit einem Umfeld abzurechnen, das seine Bedürfnisse mit Füßen getreten hatte. Auch wenn es mich erschreckte, erstarrte ich in gewisser Weise in Ehrfurcht. Mit jeder Seite lernte ich dazu: Der Zweck heiligt die Mittel. Aggression ist kein schlechtes Gefühl, sondern eine Quelle der Kraft.

Während ich erst ganz zaghaft begann zuzugeben, dass auch in mir eine gewisse Angriffslust schlummerte, bediente er sich dieser Energie in Perfektion und setzte sie nutzbringend ein. Je länger ich las, umso empörter wurde ich.

Langsam begann sich die Qualität meiner Wut zu verändern. Sie hatte nicht mehr die Form einer Glocke, sondern entwickelte eine Dynamik, die der Wut von Carlo in nichts nachstand. Sie unterschied sich jedoch in einem Punkt ganz deutlich: Seine Wut bewegte sich diffus und unkontrolliert, so als ob ihm ihre Herkunft nicht klar wäre. Meine Wut verhielt sich konzentriert und zielgerichtet. Der Auslöser schien eindeutig.

Carlo hatte sich auf Glatteis begeben, indem er mich in sein Boot setzte. Hätte er gewusst, was in mir schlummerte, hätte er sich das sicher überlegt. Als mir Annika das bunt verpackte Weihnachtsgeschenk überreichte, hatte ich mich bereits seit Jahren in meine „gesellschaftsfreie Zone" zurückgezogen. Ich teilte sie mit meinem Ehemann Niclas und jeder Menge Vierbeiner. Es war ein Ort, an dem ich entschied, ob ich zu erreichen war oder nicht. Ich stand der Gesellschaft zur Verfügung. Zu meinen Bedingungen. Mutter Erde war mir näher denn je.

Mit den Geschichten, die er über mich erzählte, marschierte er einfach so herein. Anmaßend, vehement und zu seinen Bedingungen.

„Au!", entfuhr es mir wie dem Eremiten in Monty Pythons, „Life of Brian", und die Worte brachen einfach so aus mir heraus. Es gab kein Halten mehr.

Im Film, ein Moment, der für viel Heiterkeit sorgte. Auf uns übertragen, war es hier für niemanden lustig.

Nach Jahren der Selbstkontrolle hatte ich endlich das Bedürfnis, Stellung zu nehmen und vor allem Grenzen zu setzen. Es ging um respektvollen Umgang. Es gab für mich keinen Weg zurück. Ich brauchte nicht mehr zu verstecken, dass ich mich verletzt fühlte. Dass ich mich für fremde Zwecke missbraucht fühlte. Zum ersten Mal erlaubte ich mir, Carlo ganz offen für das verantwortlich zu machen, was hier mit mir passierte. Er war den einen Schritt zu weit gegangen, der mein Fass zum Überlaufen brachte.

Ein Bild drängte sich mir förmlich auf. Carlo, der mir mit den Worten „ISS!!“ *sein* Leibgericht präsentierte.

Es hatte eine Weile gedauert bis ich erkannte, was mich daran irritierte. Ich brauchte lange, um aufzustehen. Doch als es so weit war, fegte ich seinen Teller so heftig vom Tisch, dass er quer durch den Raum flog und an der Wand in tausend Stücke zerbrach.

Der Geschmack von Kartoffelbrei! Und das vor den Augen seines Publikums!

Ich rüstete auf und begann die Messer zu wetzen, mit denen ich Carlo zur Strecke bringen wollte. Ich verlegte den Kriegsschauplatz aus meiner Kindheit in das hier und jetzt.

Mit der emotionalen Erinnerung daran, wie es sich angefühlt hatte, was im Taunus mit mir geschah, und mit dem Wissen nicht mehr wehrlos ausgeliefert zu sein, brach der Wille NEIN! zu sagen mit aller Wucht aus mir heraus. Ohne mir ganz genau klar darüber zu sein, was hier passierte, setzte ich ihn das Boot zu den Betreuern aus dem Kinderheim und unterstellte ihm, mit ihnen gemeinsame Sache zu machen.

Ich kostete die Projektionsfläche, die er mir bot, voll aus. Ziel war, das Boot zum kentern zu bringen, in der Hoffnung, dass niemand überlebte. Carlo als Kollateralschaden. Das Opfer seiner eigenen Steilvorlage. Die Konsequenz daraus Denkmäler zu schaffen, die andere nicht haben wollten. Ich glaube nicht, dass er damit einverstanden gewesen wäre.

Ich startete meine Offensive. Ich wurde sehr persönlich, zitierte aus seinem Werk und zerriss ihn in der Luft. In Windeseile erklomm ich die Trittleiter, für die Carlo Jahre gebraucht hatte und übernahm seine Strategie. Indem er mich bloßstellte, saß er in der Falle.

Ich dagegen, auch in der Zwickmühle, konnte ihm keine Absolution erteilen. Ich hatte Jahrzehnte an dem Fundament gearbeitet, auf dem ich jetzt stand. Ich hatte ihn nicht darum gebeten, dass er mich mit meinem Problem konfrontierte und mich damit aus meinem Gleichgewicht brachte.

Hätte er mich so gut versteckt, dass mich niemand erkannte, wäre gar nichts passiert. Wahrscheinlich hätte ich vor Lachen die eine oder andere Träne vergossen, denn es gab durchaus Passagen, die ich ausgesprochen lustig fand. Dann hätte ich das Buch bei Seite gelegt. Wie einfach!

Kompliziert wurde es, weil unsere Worte dazu dienten, zu verstecken und nicht zu suchen, was wir nicht sehen wollten. Dort, wo etwas unbewusst passierte, war für uns nicht mehr zu überblicken, worauf es hinauslief. Auch diese Erkenntnis brachte mich keinen Deut weiter. Ich wünschte mir lediglich, ich hätte sein Buch nicht gelesen.

Es war als katapultierte Carlo mich an den Fuß eines Berges, auf dessen Gipfel ich gerade noch gestanden hatte. Als wolle er mir sämtliche Erfahrungen absprechen und mir das gute Gefühl davon, sich in einem guten Gleichgewicht zu befinden, nehmen. Diese Situation stellte mein ganzes Gefühlsleben auf den Kopf. Natürlich macht mich das wütend. Aber was sollte ich tun?

Ich hatte mehrfach versucht, die Wut einfach zu ignorieren, mit dem Ergebnis, dass sie sich immer mehr Ausdruck verlieh. Ich musste Initiative ergreifen. Aber wie?

Und genau bei dieser Erkenntnis begann meine Zwickmühle.

Im Anbetracht meiner Geschichte wäre es ein Versagen auf ganzer Linie, würde ich die Hände weiterhin in den Schoß legen.

ALLES UMSONST!

Ich würde das kleine Mädchen erneut vor den Kartoffelbrei setzen, es in den Keller sperren und hoffen, dass es still hält, damit die Angst nicht wiederkehrt. Wozu? Jeden Tag würde ich in den Spiegel schauen und denken: Feigling oder Arschloch? Würde ich erneut im ICE sitzen und mich auf meine Atmung konzentrieren? Konnte man das von mir verlangen?

Wenn ich aber reagierte, Carlo *zwang,* sich mit mir und meinem Leben auseinanderzusetzen, indem *ich* wiederum die Strukturen unserer Gesellschaft für meine Zwecke benutzte, würde ich dann nicht den Spieß umdrehen. Wäre er dann nicht dort, wo ich gerade nicht sein wollte? Wie würde es sich für mich anfühlen, seinen Blick gewaltsam in eine Richtung zu lenken, in die er nicht schauen wollte?

Nicht gut. Denn mein Richtig und sein Richtig hatten gar nichts miteinander zu tun!

Ich wusste wirklich nicht weiter. Auf einer Party ging es um Rechtsbeistand in Scheidungsangelegenheiten. Ich lernte eine Rechtsanwältin kennen, die mir einen Namen nannte, der mich vielleicht weiterbringen würde.

Ich beschloss, mich *juristisch* beraten zu lassen.

Der Kreis schließt sich

Mir professionelle Hilfe zu holen, zeigte sich als eine richtige Entscheidung.

Die Folge waren ausgedehnte Telefonate, in denen ich die Karten aufdeckte, die mir zur Verfügung standen. Ich beschrieb meine Hilflosigkeit und worauf ich sie zurückführte.

Die Juristin erklärte mir, dass ich in unserer Medienlandschaft keinesfalls die einzige war, die sich mit dem herumschlug, was man im Fachjargon als Persönlichkeitsverletzung bezeichnete.

Bereits das Gefühl auf Verständnis zu stoßen, ernst genommen zu werden, ließ mich innerlich aufatmen. Endlich hatte jemand die Hand, die ich in meiner Not in alle Richtungen ausstreckte, ergriffen. Nicht alle Erkenntnisse der letzten Jahre waren die Folge von Trugschlüssen. Als sie mir signalisierte, dass sich mir tatsächlich eine Möglichkeit bot, „NEIN" zu sagen, brach ich in Tränen aus. Die Trauer nahm mir eine ungeheure Last.

Der Wunsch, meinem „NEIN" Nachdruck zu verleihen, indem ich rechtliche Maßnahmen in die Wege leitete, fühlte sich jedoch noch immer absurd an. Einen riesigen Rummel zu veranstalten, wenn man zur Ruhe kommen wollte, war nicht sinnvoll.

Mein Glück, dass die ausgewählte Juristin nicht nur Rechtsanwältin war, sondern auch Mediatorin.

Sie unterstützte mich in meinem Streben nach einer Lösung, die mich emotional befreite, ohne dabei juristische Schritte einleiten zu müssen. Sie bestärkte mich in dem Wunsch, mir meine persönliche Klarheit zu verschaffen, ohne mich in eine Geschichte zu verstricken, mit der ich am Ende gar nichts zu tun haben wollte. Sie deutete an, dass meine Reaktion auf Carlos Beschreibungen so heftig ausgefallen sein konnte, weil sie etwas bei mir auslösten, das nicht unbedingt mit ihm zu tun haben musste.

Das wusste ich bereits. Carlo war nur der Schlüssel zu meinem Problem.

Aber ich fand bei mir die Tür nicht, für die der Schlüssel gepasst hätte.

Alle mir zur Verfügung stehenden Lösungen waren durchgespielt, keine davon hatte mir den Weg zurück in einen unbeschwerten Alltag geebnet. Ich war verzweifelt, weil ich das Gefühl hatte, alles zu verstehen und mich trotzdem nicht besser zu fühlen. Ich konnte die Zeit ja nicht zurückdrehen und Dinge ungeschehen machen. Es blieb mir also wieder nichts als einen weiteren Versuch zu unternehmen, neue Türen zu finden.

Der Satz zur Tür

Ich begann noch einmal zurückzublättern und alles zu durchkämmen, was ich in den letzten Jahren zu Papier gebracht hatte. Tagelang verbrachte ich damit, alles noch einmal genau unter die Lupe zu nehmen. Und ich wurde fündig!

Es war ein einziger Satz, der die beiden letzten losen Enden meiner gesponnenen Fäden verknüpfte. Der letzte Satz meiner Kurzgeschichte entsprach nicht den Tatsachen!

Es war *nicht* das erste Mal, dass ich mich so ausgeliefert fühlte.

Das erste Mal, dass ich mich so gefühlt hatte, lag allerdings bereits mehr als 45 Jahre zurück.

Ich hatte nicht nur meinen wunden Punkt ausgemacht, sondern auch das Utensil gefunden, das mich auf meiner Baustelle weiterbringen würde. Eine Spitzhacke!

Mein Ziel war gepflegter, englischer Rasen. Alles sauber und ordentlich.

Damit stand Carlo nicht mehr im Fokus der Geschehnisse.

Das Gefühl war immer, dass er die Waffen gewählt und den Ort ausgesucht hatte, an dem sich unsere Wege kreuzen sollten. Dabei hatte er lediglich seine Baustelle bearbeitet, wie ich das jetzt mit meiner tat. Rache war nie sein Antrieb gewesen.

Nun schritt ich an ihm vorbei und begab mich an den Ort, wo ich bereits vorher einmal gestanden hatte. Ich ging zurück in die Nacht, in der ich die Kurzgeschichte schrieb. An den Abgrund. Dorthin, wo ich in der Tiefe das Landschulheim erblickte.

Damals war es mir nicht möglich, den Weg dorthin zu Ende zu gehen. *Ich konnte nicht!! Ich wollte nicht!!* Ich drehte dem Schauplatz erneut den Rücken und beschloss, statt meiner Carlo zu opfern. Schließlich war er der Auslöser dafür, dass ich mich an einem Ort befand, an den ich niemals zurückkehren wollte. Während Carlo völlig unwissend seinen Alltag bewältigte, plante ich seinen Untergang!

Ihn an den Pranger zu stellen, begann mit einer Zeitreise zurück in die Jahre, in denen es Berührungspunkte gab. Und ich war tatsächlich wieder in der Zeit zurück. Ich begann, alte Muster zu bedienen.

Misstrauen wurde erneut der Nährboden für ein ungutes Gefühl. Willkommen in einer Zeit, wo gegenseitige Verletzungen einen Schmerz verursachten, den man mit einer weiteren Verletzung parierte, um dann eine Pause einzulegen und seine Wunden zu lecken. Doch besser hier als dort, wo das tatsächliche Übel herrührte.

Carlo war ein netter Feind im Gegensatz zu dem, was im Dunkeln nach mir griff.

Ursprünglich hatte er nichts anderes getan, als mich mit seinen Sorgenpäckchen zu bewerfen. Ich stand vor seiner Baustelle und kickte seine farbenfrohen Frustrationen wie Fußbälle von mir weg. Nicht meine Baustelle! In jener Nacht, die die Kurzgeschichte zur Folge hatte, begann ich meine Strategie zu ändern.

Ich begann das, was mir aus seinem Buch entgegen geschleudert wurde, aufzufangen. Hatte ich bei meiner ersten Lektüre geflissentlich über die Bilder hinweggesehen, die mir Carlo von seinen Träumereien gezeichnet hatte, hielt ich sie nun ins Licht. Sie präsentierten sich mit so klaren Konturen und Farben, dass ich um deren Inhalt nicht mehr herumkam. Die Bilder, die er aus seinem Wunsch heraus, mir Nahe sein zu wollen, gezeichnet hatte, brachten mich in die Situation, in der ich mich schon einmal befunden hatte. Das, was mich berührte, war für mich kaum auszuhalten, trotzdem riss ich das Papier weiter auf. Dann gab der Boden unter mir nach.

Auf das, worauf ich einen Blick werfen konnte, war ich nicht im Geringsten vorbereitet. Es war meine eigene Geschichte! Ein Blick auf das Ausmaß an Leid, das dazu geführt hatte, dass ich mein Selbst verlor. Ein Moment, in dem ich wieder fünf war, eingesperrt und mundtot in einem Kerker, den man mich mit meinen furchtbarsten Phantasien zu teilen zwang.

Das Trauma wiederholte sich in dem Moment, in dem mich Carlo vor vollendete Tatsachen stellte und mich zurück in eine Haut steckte, die sich noch nie wie meine eigene angefühlt hatte. Er stülpte mir die

Rolle, von der ich mich frei gemacht zu haben glaubte einfach wieder über und behauptete sogar, ich würde das genießen!

Ich war wieder dort, wo ich verloren gegangen war.

Das kleine 5-jährige Mädchen erklärte erneut, dass es hier nicht sein wollte. Es saß ganz allein in der Dunkelheit und konnte nicht verhindern, dass die Ängste in Verbindung mit Carlos Visionen zu wahren Horrorszenarien wurden.

Ich war wie paralysiert. Die Luft, die durch die Tür strömte, die ich nun geöffnet hatte, ließ sich für mich nicht atmen.

Noch nicht. Und so machte ich sie erst einmal wieder zu und nahm mir Zeit, die Bilder, die sich in meinem Unterbewusstsein ganz hinten in meinem Kopf verankert hatten, in Bahnen zu lenken, die emotional für mich zu ertragen waren.

Meine Persönlichkeit *war* verletzt.

Allerdings hatte Carlo mir keine neuen Verletzungen zugefügt, sondern alte Wunden aufgerissen. Anstelle der schönen Narbe klaffte nun wieder ein offenes Loch. Er legte den Finger hinein.

Im letzten Jahr hatte ich fleißig an einer neuen Narbe gearbeitet und Gras gesät. Damit war jetzt Schluss!

Ich hob die Spitzhacke hoch über meinen Kopf und versetze dem englischen Rasen einen ersten Hieb.

Das Zeitfenster, auf das mir das erste Loch einen Blick gewährte, begann direkt mit dem Anfang meines sechsten Lebensjahres. Ich grub weiter und war zurück in der Zeit, in der die Albträume begannen. Ob meine Nächte bereits im Taunus zur Schlangengrube wurden oder erst nachdem ich wieder zu Hause war, ließ sich nicht mehr ausmachen. Mit Sicherheit konnte ich sagen, dass ich in dem Bett zurück war, in dem mir als sechsjähriges Kind regelmäßig der Schweiß auf der Stirn stand. In meinen Träumen lagen die Reptilien träge um mich herum oder schlängelten sich um meine Beine. Sie lauerten auf die kleinste meiner Bewegungen, um mich zu beißen, zu vergiften oder zu strangulieren. Ich war zur Unbeweglichkeit verdammt. Die Gefahr lauerte überall.

Ich grub weiter und stieß auf die Nächte, in denen ich ins Bodenlose fiel. Die Füße, die mich bisher durch einen wundervollen, spannenden Lebensanfang getragen hatten, führten mich nun an den Rand von Kaimauern und ließen mich den Schritt in das tiefe, klare Wasser des Hafenbeckens tun, dessen Grund sich zu einem schwarzen Nichts auftat und mich verschluckte. Mit dem Gefühl, das Rückgrat gebrochen zu haben, wachte ich in meinem Bett auf.

Ich begann Hügel zu erklimmen, die immer steiler wurden, bis ich mich in einer Felswand wiederfand, die mich ausspuckte wie einen Kirschkern, der in tausend Stücke zersprang, sobald er den Boden berührte. Der Schmerz blieb da, auch wenn ich nicht mehr schlief.

Wenn ich träumte, wurde ich festgehalten, die Arme auf dem Rücken, man schlug mir in die Magengrube oder grub mir einen Finger in den Solar Plexus. Mich dem Schmerz zu entziehen, wollte nicht gelingen. Egal wie ich mich wand. Ich konnte meiner Folter nicht entrinnen. Auch jener Schmerz hallte nach, obwohl ich längst die Augen aufgeschlagen hatte.

Die Nächte avancierten zu einer schmerzhaften Bedrohung. Das Grauen stand an der Pforte zur Dunkelheit und streckte die Hand nach mir aus, die ich mit geweiteten Augen ergriff, weil sie *mich* sonst gepackt hätte. Zu dritt liefen wir nebeneinander her, bis der Morgen graute – die Furcht, die Schlaflosigkeit und ich. Dass ich wach blieb, half mir den Kampf gegen die Angst zu gewinnen und den nächsten Morgen zu erreichen. Auch wenn ich am Fußende meiner Eltern lag, hielt sie mir die Treue und schmiegte sich von hinten an die Konturen meines Körpers. Ich war nirgends sicher und es gab niemanden, dem ich trauen konnte.

Ich erinnerte mich an einem weiteren Traum, der immer wiederkehrte. Ich verließ das Haus, in dem ich mit meiner Familie wohnte, um zu spielen, zur Schule zu gehen oder Fahrrad zu fahren. Wenn ich zurückkam und in die Straße einbog, in der ich zu

Hause war, war alles so wie ich es verlassen hatte, nur mein Zuhause war verschwunden. Panisch versuchte ich, es wiederzufinden. Vergebens!

Wenn ich wach wurde, schaute ich nach, ob meine Eltern noch da waren.

Auch die Nächte, die ich während eines Sprachaustausches in Frankreich verbrachte, kamen wieder ans Licht. In dem fremden Zimmer lag ich so lange wach, bis mich der Hahn der Nachbarn erlöste. Nur wenige Stunden nachdem er mich in den Schlaf krähte, wurde ich wieder geweckt.

Ein einschneidendes Erlebnis verschaffte mir Roman Polanski. Als ich elf Jahre alt war, machte er mich im Hause einer Klassenkameradin mit Rosemarie bekannt. Einer verwandten Seele.

In dem Film „Rosemaries Baby" arbeitete Polanski meinen Aufenthalt im Taunus emotional auf und gab meinen Buscher Männern ein Gesicht. Sie hörten auf, im Verborgenen zu agieren. Sie waren überall und bestätigten meinen Verdacht, niemandem trauen zu können. Sie bedrohten das Leben derer, denen ich gerne vertraut hätte, oder suggerierten mir, dass es sich bei allen, an die ich mich annäherte um ihre Komplizen handelte. Er manifestierte ihre Macht und ich rechnete jederzeit damit, dass sie kommen würden, um mich zu holen.

Am Fußende meiner Eltern gab es für mich zwei Möglichkeiten: vertraute ich den beiden, waren sie dem Tode geweiht. Es sei denn, sie gehörten der verschworenen Gemeinde an.

Als ich fünfzehn war, lernte ich mich zu betrinken und fand wieder meinen Schlaf. Wie ein Baby nahm mich der Rausch in den Arm und wiegte mich in eine vergessene Geborgenheit. Aber die Angst war sehr beweglich. Es dauerte nicht lange und sie zog um – in den Tag.

Sie begleitete mich auf allen meinen Wegen und änderte bei Bedarf immer wieder ihr Gesicht. Mehr als vierzig Jahre lang. Auch als ich begann, sie zu durchschauen, dauerte es einige Jahre bis sie an Macht verlor.

Jeder Hieb mit der Spitzhacke eröffnete mir ein weiteres Elendsviertel meiner Vergangenheit. Auch wenn es immer wieder erschreckend war, was aus dem Vergessen auftauchte, brachte es eine ungeheure Erleichterung die Dinge ans Licht zu bringen und darüber sprechen zu können. Dass kein Versteckspiel mehr nötig war, setzte ungeheure Kräfte frei. Die Wunden verheilten narbenfrei. Im Alter von mehr als 50 Jahren knüpfte ich an die Gefühlswelt an, die man mir im Alter von fünf Jahren genommen hatte. Mein Vertrauen kehrte zurück. Es gab keinen Grund mehr, sich zu fürchten. Körper und Geist gaben sich die Hand. Ich wurde wieder Teil eines Ganzen, in dem ich mich geborgen fühlen konnte.

Meinem Prozess, Frieden zu schließen, kam zugute, dass mir Carlo eine Projektionsfläche bot, an der ich ungehindert meine Rachegelüste abarbeiten konnte, als der Schmerz meinen Verstand regierte. Ein Ventil für all den Dampf.

Die Wogen meiner Emotionen hatten sich geglättet, wie wütendes Wasser über einem Teebeutel.

Noch ein letztes Mal nahm ich Carlos jugendliche Klänge zur Hand und fand zu meiner Empathie zurück, die ich Carlo fast vorenthalten hätte. Ich las all die bissigen Randnotizen, die seinen Text flankierten und musste endlich schmunzeln. Der arme Kerl! Die Wut war verflogen, mein Humor kehrte zurück.

Es begann ein letztes großes Reinemachen. Fein säuberlich entfernte ich die kleinen, subtilen Spitzen, mit denen ich Carlo hatte treffen wollen. Sätze, die ich aus seinem Buch herausgeschrieben hatte, um sie ihm mit einer zynischen Bemerkung meinerseits um die Ohren zu schlagen, verschwanden. Der Wunsch, von Carlo verstanden zu werden, verebbte in dem Moment, als sich für mich der Ausweg abzeichnete: Ich stellte mich meiner Vergangenheit. Ich nahm meine Karten auf und legte sie offen auf den Tisch. Es gab keine Geheimnisse mehr. Es gab nichts mehr zu verbergen.

Meine Gefühle fanden ihren Weg aus der Dunkelheit. Sie umgaben mich wie die bunten Partikel in einem Kaleidoskop. Die Formen und Farben veränderten sich, je nachdem wie die Sonne hineinschien. Ich hörte auf, sie verstecken zu wollen.

Sie wurden meine Verbündeten. Ich erkannte, dass sie das schon immer gewesen waren. Auch wenn ich nicht immer gleich verstanden hatte, was sie mit dem bezweckten, was ich als Schmerz empfand oder als Angst. Ich brauchte sie, weil sie mich darauf hinwiesen, dass das, was man mir als richtig verkaufte, nicht mein richtig war.

Sie nahmen mich an die Hand und führten mich dorthin, wo ich wieder an die Gefühlswelt anknüpfte, als sie noch gut war.

So wie ich, wechselte auch Carlo in eine neue Identität. Ich hatte nicht mehr vor, ihn bloßzustellen. Ich zerbrach den Spiegel, den ich ihm hatte vorhalten wollen.

Ich blättere zu einer Stelle, an der nicht nur meine Wunden offen lagen. Ich entledigte mich der Maske, die mir Carlo übergestülpt hatte und wusste, was sich darunter verbergen würde: Mein eigenes Gesicht.

Als die Person, die ich heute bin, kehrte ich zurück zu der Passage, in der ich Carlo in meine Arme nahm, ihn küsste, um ihn nur kurze Zeit später wieder fallenzulassen. Ich hatte ihn eine Nähe spüren lassen, die er so dringend vermisste. Im nächsten Augenblick hatte ich sie ihm wieder genommen und an jemand anderen weitergereicht. Ich hatte ihn einen Laubhaufen spüren lassen, ihn zur Seite gestoßen und jemand anderen hineingelegt.

Es hatte sich für ihn angefühlt, wie ein Schlag ins Gesicht. Kaltgestellte Geborgenheit. In Sekunden schnelle. Mir wurde bewusst, was ich ihm zeigte und doch vorenthielt. Es musste ihn ziemlich berührt haben, wenn er den Moment noch so viele Jahre später mit sich herumtrug.

Carlo stand noch immer da.

Es war offensichtlich, wie sehr er in diesem Augenblick Trojans Trost vermisste.

Er sah mit seinen großen, hilflosen Augen zu mir herauf. Er wirkte so verloren. Nichts war mehr da, von der Person, die mich so unsanft an meinem Zopf gepackt hatte.

Ich hockte mich zu ihm herab und sagte: „Du brauchst keine Angst mehr zu haben."

Dann nahm ich ihn ganz fest in meine Arme und sagte: „Es tut mir leid!"

Das letzte Teil in diesem Puzzle.

FREI

Epilog

Lieber Carlo,

vielen Dank für Deine Post.

Odette ist leider nicht zu Hause. Sie ist mit ihrem Mann Niclas für einige Tage nach Dänemark gefahren. Die beiden brauchten dringend eine Auszeit.

Trojan Tiller sehe ich nur noch selten. Er trainiert gerade in den Alpen. Wie ich höre, ist er total durchgeknallt. Marathon!! Kommt mir irgendwie bekannt vor.

Er würde sich sicher freuen, von Dir zu hören.

Keine Bange: von der Kategorie „Spießer" ist er weit entfernt.

Ich habe mich übrigens sehr über Deine romantischen Vorstellungen amüsiert, Trojan und mich betreffend. Ich muss Dich leider enttäuschen. Auch wenn er ziemlich guter Typ ist, geht unsere Beziehung nicht über das Freundschaftliche hinaus.

Aber wie wäre es, wenn wir alte Zeiten aufleben ließen?

Ich könnte mich in eine mongolische Klamotte schmeißen, genau wie in Deinem Buch.

Du kannst es Dir ja durch den Kopf gehen lassen.

Zeitreisende im Transsibirien Express. Vorbei an schneebedeckten Feldern, auf dem Weg zu einem warmen Lagerfeuer.

Es grüßt Dich von Herzen

Olga

Kurze Zeit später standen wir alle gemeinsam am Bahnhof. Olga, Carlo, Trojan und ich, Odette.

Carlo und Trojan hatten sich am Tag zuvor getroffen und viele intensive Gespräche geführt. Als sie sich in den frühen Morgenstunden trennten, hatte Carlo in seinem Puzzle das letzte Teil eingefügt. Auch für ihn war nun die Zeit gekommen zu gehen. Das Gepäck war bereits verstaut. Es blieben noch einige Minuten, bis der Zug abfahren sollte.

Als wir uns voneinander verabschiedet hatten, griff ich in meine Tasche, um Olga noch ein Accessoire mit auf die Reise zu geben, das sie vielleicht würde gebrauchen können – die rote Pudelmütze.

Mit einem Augenzwinkern und den Worten: „Du musst sie ihm ja nicht aufsetzen, wenn er das nicht möchte. Ist ja auch eine ziemlich heftige Farbe. Aber vielleicht wird es ja so kalt, dass er froh ist, sie dabei zu haben", wünschte ich den beiden alles Gute.

Olga und Carlo hatten endlich die gemeinsame Reise angetreten, von der Carlo in seinen Geburtsstunden immer geträumt hatte. Wohin sie führen würde, konnte niemand sagen.

Als der Zug am Horizont im Nebel verschwand, sah es aus, als würde er mit seiner Umgebung zu einer Illusion verschmelzen.

DANKSAGUNG

Allen voran danke ich meinem Mann Peer, der auch nach mehr als 20 Ehejahren daran festhält, dass er davon profitiert, eine „Durchgeknallte“ abgekriegt zu haben.

Meinen Eltern danke ich ganz besonders für meine glückliche Kindheit. Das Fundament, auf dem nun mein Leben wieder steht. Sie schenkten mir auch die Welt der Musik, in deren breitem Spektrum ich mich immer in allen Kulturen emotional frei bewegen konnte. Ich bedaure sehr, dass es mir erst jetzt gelungen ist, ihnen wieder zu vertrauen.

Ein Dankeschön an die vielen Korrektorinnen und Korrektoren, die mich darauf aufmerksam machten, wann mein Kauderwelsch in Bahnen geriet, zu denen mir kein Mensch würde folgen können. Sie brachten mich regelmäßig auf den Boden der Tatsachen zurück und hielten mir oft genug ein Stoppschild vor. Sie verhinderten, dass der Schmerz mit meinem Verstand durchging.

Steffi danke ich für ihre Strenge und dafür, dass sie rebellisch wird, wenn ich in alte Muster zurückfalle.

Entschuldigen möchte ich mich bei meinem armen Körper, mit dem meine Psyche nicht gerade zimperlich umgegangen ist. Ich bin ihm sehr dankbar dafür, dass er durchgehalten hat, bis ich Frieden schließen konnte.